栃木カフェ時間

こだわりのお店案内

tochigi cafe time

ゆたり編集室 著

Mates-Publishing

はじめに

おいしいごはんに舌鼓。甘いもので心を満たす。本を片手にコーヒーを一杯。カフェで思い思いに過ごす、豊かな時間。栃木には、出掛けたくなるすてきなカフェがたくさんあります。

2020年1月の「栃木カフェ日和」発行から2年半余り、この度、新たな1冊として「栃木カフェ時間」ができました。レイアウトや構成もガラリと変えて、装い新たに個性豊かな50店舗をご紹介します。

さて、次の休日にはどんなお店へ出掛けましょう。

開いた扉の向こうには、きっととっておきの "カフェ時間" が待っています。

最後になりましたが、お忙しい中、本書の制作に当たってご協力いただきましたお店の皆さまに、心より感謝申し上げます。

もくじ

🍴 ごはんカフェ

🫖 雑貨カフェ

👜 テイクアウトカフェ

おやつカフェ

特集　街めぐるカフェ

⊙ エリアマップ

那須町

福島県

那須どうぶつ王国

那須高原
アカルパ

那須
ちふり湖CC

茶屋 卯三郎
(p.30)

17

68

池田

那須高原
スマートIC

那須高原
友愛の森

那須
オルゴール
美術館

21

長楽寺

森林ノ牧場
(p.112)

小島

4

那須IC

N

東北自動車道

JR東北本線

500m

大田原市

400

西那須野駅

那須 乃木神社

wabisuke
(p.110)

那須
清峰高

大田原
市役所

蛇尾川
緑地公園

ドン・キホーテ

美原公園

一区町

461

野崎駅

48

薄葉小

セブン
イレブン

秋元珈琲焙煎所
ギャラリー田谷
(p.64)

親園

N

500m

那須塩原市

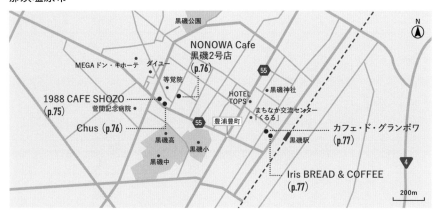

黒磯公園

NONOWA Cafe
黒磯2号店
(p.76)

MEGAドン・キホーテ

ダイユー

55

等覚院

HOTEL
TOPS

黒磯神社

1988 CAFE SHOZO
(p.75)

菅間記念病院

まちなか交流センター
「くるる」

カフェ・ド・グランボワ
(p.77)

Chus (p.76)

55

豊浦豊町

黒磯駅

黒磯高

黒磯小

Iris BREAD & COFFEE
(p.77)

4

黒磯中

N

200m

芳賀町

真岡市

益子町

日光市

宇都宮市

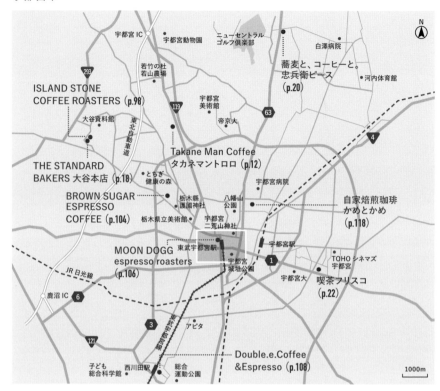

宇都宮市 拡大図

鹿沼市

① dough-doughnuts cafe (**p.71**)

② マツガミネコーヒービルヂング101本店 (**p.72**)

③ ealt.cafe (**p.72**)

④ KIWI COFFEE STAND (**p.73**)

⑤ ATR STORE (**p.73**)

栃木市

足利市

佐野市

小山市

下野市

ごはんカフェ

ゆったりとした心地よい時間の流れる空間で、食べる人への思いを込めて丁寧に作られた料理をいただく。おいしい笑顔が店内に溢れる12軒をご紹介します。

Takane Man Coffee
タカネマントロロ

タカネマンコーヒー　タカネマントロロ

01

ごはんカフェ
〈宇都宮市〉

左）「時を重ねるほどに味わいを深めていく店に」と実家の1階を増築リフォームした店内。シンプルなデザインの中「好きなもの」が心地よいバランスでレイアウトされています。右上）「タカネマントロロ」の暖簾（のれん）の奥は落ち着いた大人の隠れ家的な雰囲気。右下）午後はお気に入りのコーヒーとともにゆっくり。

いつもの暮らしを
"自分らしく"楽しむヒントを提案

　自家焙煎コーヒーのセレクトショップとして先駆け的存在の「タカネマンコーヒー」がオープンしたのは2015年。その2年後、店内に宇都宮初の自然薯専門店「タカネマントロロ」が開設され、その異色の組み合わせが注目を集めました。

　手掛けたのは、東京で音楽活動を行う傍らライブハウスの運営や空間プロデュースに携わってきた「タカネマン」こと高根澤聡さん。自身の経験をもとに、大好きなコーヒー・音楽・空間づくり等、ライフスタイル全般にわたった「いつもの暮らしを"自分らしく"楽しむヒント」をWebで発信し続けています。その情報を直接伝える場所として地元宇都宮に戻り、こだわりの詰まった「タカネマンコーヒー」を構えた彼にとって、さらに追究し始めた"食が持てる可能性"を提供する「タカネマントロロ」を開設したことは必然的だったといいます。

　「自然薯の持つ健康パワーを広めたい」と、縁（ゆかり）のある山口県の生産農家から仕入れた自然薯を中心に始めた定食は2種類。皮ごとすりおろした自然薯本来の味と香りを楽しめる「黒とろろ定食」と、大和芋をブレンドし食べやすくした「白とろろ定食」。どちらもこだわりのご飯・味噌汁とともに、「いつのまに

ごはんカフェ

自然薯本来の香りと粘りを堪能できる「黒とろろ定食
（高根沢町米の五分づきご飯・自家製味噌の味噌汁・
自家製漬物・一品料理・梅干し）」。すり鉢とすり棒で
好みに合わせた状態に調節できるのもうれしいポイン
ト。体にやさしい懐かしい味わいとともに自然薯の持
つ健康パワーを満喫できます。

左上）一つ一つの照明にもセンスが光ります。左下）湯の温度や落とす時間、ドリッパーの種類など、それぞれの焙煎豆の特性を生かすBESTな状態に気を配ります。右）2階に住むお母さまが丹精込めて育てている草木がエントランスや庭を四季折々の表情で鮮やかに彩ります。

か母の味そっくりになった」というやさしい味わいの煮物やお新香、そこにお母さま手作りの梅干しが添えられ、心も体も元気になると話題に。当日すりおろす自然薯に限りがあるため、前日までの予約がおすすめです。

　豆の産地の違いだけではなく、その焙煎方法やブレンドの仕方、さらに淹れ方の違いで無限に変化するといわれるコーヒーの味わい。「タカネマンコーヒー」では県内の優れたロースター（焙煎士）がつくり出す豆をセレクトし、その魅力・奥深い味わいを最大限に引き出す淹れ方で提供しています。「県内に点在す

テイクアウト情報は通りに面したインフォメーションボードでも確認OK！

上）古民家から移築した太い梁がアクセントに。左下）オールジャンルからセレクトされるBGMも楽しみの一つ。70〜80年代製の重厚な音響機器から流れる音はどこか丸みを帯び心地よく響きます。右下）コーヒーを引き立てる甘さ控えめなチーズケーキ。

るロースターの繊細で個性豊かな味わいをたくさんの人に知ってもらえる身近な場所になれればと思っています。異なるロースターの豆をブレンドすることで起きる"化学変化"を一緒に楽しめたら。実験室のようでワクワクしませんか」。そう目を輝かせて語る高根澤さんのサプライズはまだまだ続きそうです。

オーナーの高根澤聡さん

コーヒーを楽しむコツは、まずは気に入ったコーヒーの「産地と煎り方」をセットで覚えること。そこから比較を繰り返してみてはいかがでしょう。新しい発見がきっと見つかるはず。

MENU　とろろ定食（黒／白）1,300円／無水カレー 1,100円／本日のケーキセットドリンク+310円／各種ブレンドコーヒー 620円〜／各種シングルコーヒー 600円〜

DATA
- 🏠 宇都宮市宝木本町1154-9
- ☎ 028-625-1325（予約のお電話はランチタイム以外の時間におかけください）
- 🕐 11:00-20:00（L.O.19:00／ドリンク19:30）※当面の間、営業時間は18:00までランチタイム　11:00-14:00
- 🈁 火曜　月曜不定休あり
- 🪑 31席（テーブル席 24席　カウンター席 7席）全席禁煙（テラス席のみ喫煙可）　予約可
- 💴 カード可　電子マネー可
- 🔗 https://takaneman.co/ インスタグラム、フェイスブックあり

宇都宮 IC
宇都宮動物園
Takane Man Coffee
タカネマントロロ
東北自動車道
若竹の杜
若山農場
宇都宮戸祭自動車教習所
文星芸術大
119

ACCESS　宇都宮 IC から南へ約5km（車で約10分）

02
ごはんカフェ
〈宇都宮市〉

THE STANDARD
BAKERS 大谷本店

ザ スタンダード ベーカーズ　おおやほんてん

素材の個性を生かした確かな味が人気
本格派ベーカリー＆レストラン

上）天井が高く、明る
く開放的な店内。左下）
ピザは定番のマルゲリー
タの他に季節ごとの限定
メニューも楽しめます。
右下）パンや焼き菓子、
オリジナルのグッズが並
ぶコーナー。

自家製サルシッチャと緑野菜のオレキエッテに前菜とドリンクが付いたランチセット。

　石の街と知られる大谷町。観光スポットとして人気の大谷観音にほど近いエリアに、元々ドライブインとして利用されていた建物をリノベーションし、2018年4月『その土地、地域の「standard」であり続けるコト。』をコンセプトに本格派のベーカリー＆レストラン「THE STANDARD BAKERS 大谷本店」がオープンしました。

　パン作りにおいて常に心掛けているのはパンや素材の個性を大切にすること。味の決め手となる、小麦、酵母、バター、水はそれぞれパン作りの過程において数種類の中からベストな素材を選択するなど、個性を生かし「standard」を見つけ出すことに妥協はありません。ハード系パン、菓子パン、食パン、お総菜パン、焼き菓子など種類が豊富で、毎月メニューが変わるのも魅力の一つです。レストランでは地域の旬の食材をメインに使用した季節ごとのメニューを提供しています。パスタやピザに前菜とドリンクが付いたランチセット（単品＋440円）も大人気。

左）古さと新しさが見事に調和したスタイリッシュな外観。右）季節の野菜をたっぷり使った「夏野菜のチキンカレーパン」。

MENU　マルゲリータ 1,320円／クアトロフォルマッジ 1,540円／ベーカーズパンケーキ 1,210円／自家製サルシッチャと緑野菜のオレキエッテ 1,320円／ランチセット（サラダ、ドリンク）　単品＋440円

大谷本店・店長の立石典嗣さん

大谷にお越しの際にはぜひご利用ください。

DATA
- 🏠 宇都宮市大谷町1159
- ☎ 028-652-5588
- 🕐 平日10:00-17:00
　土日祝8:30-17:30
- 休 火曜
- 席 28席　全席禁煙　予約可
- ¥ カード可　電子マネー可
- URL https://the-sbk.jp/oya/
　インスタグラム、フェイスブックあり

[地図：293／カネホン採石場／大谷資料館／大谷PA／大谷寺／70／188／大谷／東北自動車道／東武宇都宮駅／★ THE STANDARD BAKERS 大谷本店]

ACCESS　東武宇都宮駅から北西へ約7.2km（車で約19分）

03

ごはんカフェ
〈宇都宮市〉

蕎麦と、コーヒーと。
忠兵衛ピース

そばとコーヒーと　ちゅうべえピース

蕎麦とコーヒー、
二つの楽しみ方ができる場所で
くつろぎの時間を

こちらの看板を目印に。周りは田園風景が広がる気持ちのいい場所です。

「舞茸天おろしそば」。すべてのおそばに日替わりの前菜とご飯が付きます。

はんカフェ

左）おしゃれで落ち着く店内。右）季節の素材を使ったデザートプレート。いろんな種類が味わえるうれしい一皿。

　蕎麦とコーヒーが楽しめるお店「蕎麦と、コーヒーと。忠兵衛ピース」は田園風景が一面に広がる眺めのよいロケーションの中にあります。「お店に足を運んでくれるお客さまに "来てよかった"、と喜んでもらえるよう常に心掛けています」と店主の堀井哲也さん。皮ごと挽いた蕎麦は香り高く、麺の太さを細くすることで喉越しをよくしています。大きな舞茸の天ぷらがのった「舞茸天おろしそば」は若い人から年配の方まで人気のメニュー。洋食店で長年修業してきた店主特製の季節の野菜を使った前菜も一つ一つ丁寧に作られています。

　お店オリジナルのブレンドコーヒーはハンドドリップで。元々カフェを開きたいと考えていた堀井さんがご両親の蕎麦屋を引き継ぎ、蕎麦が食べられるカフェとしてオープンしました。

　蕎麦を食べた後、コーヒーとデザートを楽しむお客さまは多く、お店で過ごす時間を堪能しているようです。ピースという店名に込められた「楽しい時間を提供して笑顔になってもらいたい」という思いは、料理のこだわりとして表れています。

オーナーの堀井哲也さんと章江さん夫婦

蕎麦とコーヒーで、お客さまが笑顔になるお手伝いができればうれしいです！夫婦でご来店をお待ちしています。

MENU　舞茸天おろしそば（日替わり前菜、日替わりご飯付き）1,500円／忠兵衛カレーそば（日替わり前菜、日替わりご飯、おじやライス付き）1,400円／鴨南蛮そば（日替わり前菜、日替わりご飯付き）1,500円／デザートプレート単品 950円・ドリンクセット 1,400円／オリジナルブレンド 450円

DATA
(住) 宇都宮市上田原町20-1
(℡) 028-672-3900
(営) 11:30-17:00（L.O.16:00）
(休) 水曜
(席) テーブル席 18席　予約可
(¥) カード不可
(他) フェイスブック、ツイッターあり

ACCESS　岡本駅から北西へ約6.6km（車で約12分）

04

ごはんカフェ
〈宇都宮市〉

喫茶フリスコ

きっさ フリスコ

昭和レトロな時間が流れる
心地よい空間

上）目玉焼きがのった
「ナポリタンミネソタ」。
左下）お店は黄色いの
ぼりが目印です。右下）
自家製プリン。

お店の名前にちなんだサンフランシスコのポスターが飾られています。

子どもの頃に連れていってもらった喫茶店が憧れだったという店主・高橋康予さんがご主人の崇広さんと営む「喫茶フリスコ」は昔からあるような佇まい。当時の記憶をたどりながらメニューを考案しました。中にはお客さんのリクエストからメニューになったものも。若い人から年配の方までこの昭和レトロな雰囲気のお店とメニューのファンは多く、プリンアラモードを見たおばあちゃんが懐かしくて涙を流した場面もあったといいます。

看板メニューの「ナポリタン」は、長年研究を重ねるうちにだんだんと種類が増えていきました。季節に合わせた素材で作る月替わりナポリタンもお客さんが楽しみにしているメニューの一つです。人から頼まれたことがきっかけでナポリタンの作り方講座を開催し、作り方を伝授したという康予さん。お店の技を教えるのは、ナポリタンを広めたいから。洋食店やレストランでナポリタンが浸透してほしい、という思いから。懐かしい空間とメニューはどこかほっとさせてくれます。

左）レトロな雰囲気の店内。長く座っていても疲れない椅子など、家具にもこだわりがあります。右）季節のフルーツを使った「プリンアラモード」。

店主の高橋康予さんと崇広さん夫妻

くつろいで過ごしていただけたらうれしいです。気軽に通ってください。

MENU　喫茶店のナポリタン（ベーコン）750円／ナポリタンミネソタ（ベーコン＆目玉焼き）930円／自家製プリン 380円／プリンアラモード 880円／クリームソーダ 480円

DATA
- 宇都宮市陽東1-8-19
- TEL 028-348-1165
- 月～金12:00-21:00（L.O.20:30）
  土・日・祝日12:00-18:00（L.O.18:00）
- 不定休（インスタグラムにて随時お知らせ）
- テーブル席 24席
  全席禁煙　予約可（夜のみ）
- カード不可　電子マネー可
- https://frisco.shopinfo.jp
  インスタグラムあり

ACCESS　宇都宮駅から南東へ約3.2km（車で約10分）

Lake Side Cafe
レイクサイドカフェ

🍴
05
ダイニングカフェ
〈鹿沼市〉

釣り池、ドッグパーク、カフェレストランが
併設された湖リゾート

東北道鹿沼インターチェンジから車で約20分。山々に囲まれた自然豊かな地に2003年にオープンした複合リゾート施設「Lake Wood Resort」。ルアー＆フライ専用の釣り池を中心に、カフェレストランの「Lake Side Cafe」やドッグパーク、完全予約制のバーベキューハウスなどが建ち並びます。「家族で一緒に遊びに来られる場所にしたい」との思いから、釣り池の他に余暇を満喫できるスポットをオーナー自らが増築。大人が釣りを楽しんでいる間にも、子どもたちがのびのびと自然を満喫できるよう、バードウォッチング用の観察小屋やヤギ小屋、敷地内をめぐる遊歩道などが用意されています。まだ施設作りは継続中とのこと。森の中の探索は、冒険心が刺激され、お腹も空きます。

カフェレストランでは、パスタやカレー、デザートなど、子どもから大人まで楽しめる手の込んだメニューを豊富に用意。「釣りをされない方のご来店も大歓迎です」と鈴木さん。室内はもちろん、テラスでも食事を取ることができるので、清らかな景色を望みながら、ゆっくりと料理を堪能してはいかがでしょうか。

ヤギ、カモ、アヒル、ニワトリが共同生活するヤギ小屋。

オーナーの奥さまの鈴木浩美さん（右）とスタッフの大久保美咲さん

背伸びをしないくらいの非日常を味わってもらえたらうれしいです。

左）6,000平米の釣り池のほとりに「Lake Side Cafe」などが点在。鳥のさえずりに心癒やされます。右上）ダッチパンで提供される看板メニューの「Lake Wood ナポリタン」。サラダ、スープ付き。デザートはランチとセットの場合250円で楽しめます。右下）景観を望みながら食事が満喫できます。

おとぎ話に出てくるような街並みを再現。メルヘンな世界観が森のリゾートにぴったりです。

MENU 豚ホホ肉の煮込みデミグラスソース（サラダ・スープ・ライス付き）1,050円／アボカドとベビーロブスタークリームパスタ（サラダ・スープ付き）950円／ワタリガニのトマトクリームパスタ（サラダ・スープ付き）950円／Lake Wood チキンカレー（サラダ・スープ付き）950円／ケーキ・ジェラート各種400円

DATA
🏠 鹿沼市引田1872 ☎ 0289-66-7333
🕐 ［ルアー＆フィッシング］7:30-17:00（日没に準ずる）
　［Lake Side Cafe］10:00-16:00（季節変動あり）
　フード：平日 11:00-14:30
　土日祝日 11:00-15:00
　［ドッグパーク］9:30-17:00
🈺 月曜（祝日の場合翌日）
🪑 50席
　カフェ内全席禁煙
　（釣り池は喫煙可）予約不可
💴 カード不可
🔗 https://lakewoodresort.info/
　インスタグラムあり

ACCESS 板荷駅から南西へ約7km（車で約10分）

06

ごはんカフェ
〈鹿沼市〉

AN-RIZ-L'EAU

アンリロ

野菜のおいしさと自然の恵みを
丸ごと味わう

上）サラダプレート。
名物の人参フライととも
に心尽くしの野菜料理
を。左下）やさしく落
ち着く店内。右下）目
にもうれしい花おはぎ
「笑花結（えはにゅ）」。
お土産に人気。

緑のツタも自然のままに。あなたの訪れを待っています。

　鹿沼市役所近くの路地裏にひっそりと佇む、野菜のおいしいお店「アンリロ」。個性的なカフェや雑貨店が並ぶわくわくするような小径を進んでいくと、その最奥に緑に覆われた古い建物が現れます。フランスの田舎のレストランのようでありながら、どこか懐かしさも感じられる居心地のよい空間で味わうのは、マクロビオティックの考えに基づき、地元の新鮮野菜を丸ごと生かした料理。そのやさしいテイストを求めて幅広い年齢のお客さまが訪れます。

　オーナーシェフの上村さんが東京のレストランで修業を積んでいた頃、都内で買ったトマトよりも栃木の地元で何気なく買ったトマトがおいしかったことに感銘を受け、このようなお店を開くきっかけに。「肉、魚、卵、乳製品は一切使っていません。野菜の持つおいしさだけで、どこまでできるのかやってみたかったんです」と語る上村さん。おはぎなどのスイーツや焼き菓子も評判です。最近は地元の農家とコラボしたジェラート作りなども手掛けており、挑戦は今も続いています。

左）しばし日常の喧騒を忘れられる空間。右）「AN-RIZ-L'EAU」は「一粒の米、一滴の水」という意味。自然から与えられた恵みを余すことなく生かして心のこもった一皿に。

MENU　サラダプレート（パンorご飯、ミニスープ、デザート、ドリンク）1,550円／パスタプレート（サラダ、デザート、ドリンク）1,860円／キッズプレート（ミニデザート、ジュース）550円／名物人参フライ 450円／花おはぎ（笑花結えはにゅ）180円

オーナーの上村真巳さん

おいしい野菜が食べたくなったら、ぜひご来店ください。

DATA
- 🏠 鹿沼市上材木町1684
- ☎ 0289-62-0772
- 🕐 11:30-15:00
- 休 日曜
- 席 テーブル席 18席　座敷6席　全席禁煙　予約可
- ¥ カード不可
- URL インスタグラム、フェイスブックあり

★AN-RIZ-L'EAU
御殿山公園／鹿沼市役所／東武日光線／足利銀行／下材木町／新鹿沼駅／鹿沼高／121

ACCESS　新鹿沼駅から北へ約1.5km（車で約6分）

07

ごはんカフェ
〈日光市〉

tuuli.tie

トゥーリティエ

糀づくし料理＆カフェメニューで
伝統食 "糀" を手軽におしゃれに

左上）ラズベリーショコ
ラ甘酒ラテ。右上）上
質な北欧インテリアを
配した店内は、シンプ
ルながら温かみのある
空間。下）豚肉の糀醤
油ハンバーグ。

「tuuli.tie」とは、フィンランド語で「風の小径」を意味します。

1921（大正10）年の創業以来、昔ながらの製法により糀を造り続ける「小野糀店」。自家製の糀による手造りの天然醸造味噌、甘酒も販売。伝統の味と技術を受け継ぎたい、と3代目店主で父に糀造りを学ぶ、小野さんと、妹の石塚さん姉妹が新ブランド「小野糀」を立ち上げました。塩糀や醤油糀など新商品の数々も発売しています。

そして、「糀の魅力をもっと多くの人に伝えたい」と2022年3月、カフェ「tuuli.tie」をオープン。ランチでは、旬の地元産野菜たっぷりの前菜から、メイン、デザートにも塩糀や醤油糀、味噌を使った糀づくしのメニューが味わえます。「自分好みの味噌を見つけるのにも役立ててもらえたら」と、味噌汁は、2杯目からはカウンターに用意された5種の味噌、具材、出汁から選んで何杯でも飲み比べが楽しめます。

酵素の働きで素材の旨味をアップしたり、腸内環境を整えてくれるなど、いいことばかりの糀。カフェでゆっくり味わい、併設の直売店で購入して家庭でも気軽に活用してみてはいかがでしょうか。

左）「白身魚のアクアパッツァ」は魚に塩糀をまぶして一晩置いて調理（ある日の「月替わりランチ」より）。右）機能的でかわいらしいパッケージの「小野糀」の味噌はギフトにも好評です。

MENU　月替わりランチ〔前菜・メイン(魚or肉料理)・ご飯・味噌汁・デザート・飲み物付き〕1,280円／ラズベリーショコラ甘酒ラテ 550円／甘酒シフォンケーキ 400円／味噌(米・麦・田舎) 400g・390円～／塩糀・醤油糀各種 300円～(併設直売店で販売)

DATA
- 🏠 日光市塩野室町796-9 2F
- ☎ 0288-25-7039
- 🕐 11:30-17:30(L.O.16:30)
　ランチ 11:30-15:00(L.O.14:00)
- 🈺 日・月曜、他不定休あり
- 🪑 テーブル席 6席　カウンター 3席
　ソファ 3席 座敷 8席　全席禁煙　予約可
- 💴 カード可
- 🔗 https://ono-kouji.com/
　インスタグラム、フェイスブックあり

ACCESS　下今市駅から東へ約11km（車で約16分）

写真／かわいいボトル入りの各種塩糀と醤油糀
コメント／オーナーの小野さんと妹の石塚さん

おいしい！と思われたら、気軽にレシピをお尋ねください。ご自宅でも糀をご活用いただければ幸いです。

08

ごはんカフェ
〈那須町〉

茶屋 卯三郎

ちゃや うさぶろう

記憶の中の
懐かしい風景がよみがえる
田舎料理で心和むひとときを

お持ち帰りメニューの「卯三郎ま
んじゅう」は黒糖と三温糖の2種
類。大人のこぶしよりも大きいサ
イズで食べ応え十分です。

広々としたお座敷席から庭を眺め、リラックスした時間を過ごせます。

左）お餅5種類（きなこ・あんこ・胡麻・納豆・おろし）にお雑煮と、いろいろな種類の味が楽しめる「餅ざんまい」。お餅好きにはたまりません。 右）小さめの木の扉、こちらが入り口です。少しかがんでくぐり抜け、店内に入っていきます。

どこか懐かしい田舎のお家に遊びに来たような、木の手触りが落ち着く古民家。てきぱきと働くお母さんたちが、いつ行っても変わらない滋味深い家庭料理で出迎えてくれる「茶屋 卯三郎」は、地元からも遠方からもリピーターの多い人気店です。自慢のおこわやお餅は、契約農家さんが土づくりにこだわり、無農薬で丹精込めて栽培した「那須の白鳥米」を使用。いくつでもいただけそうな口の中でとろりととろけるお餅は、毎日朝早くから店内で仕込んでいるつきたてです。「うちのお餅は冷めても固くなりにくいんですよ」と、店主の山田さん。

テイクアウトも人気で、近くに宿を取った方が利用してくださることも。那須街道の広谷地交差点からほど近く、観光のお客さまにも便利な立地。広々としたお座敷が中心の店内は家族連れのお客さまも多く、お子さま連れでも安心して利用することができます。古民家の趣を感じ庭の緑を眺め、しみじみとした味わいの田舎の家庭料理をいただく。のんびりとくつろいだ時間を過ごせそうです。

店主の山田さん

当店の懐かしい味をお楽しみください。

MENU　ぽこぺん膳 1,300円／餅ざんまい 1,300円／卯三郎膳 1,300円／けんちんうどん 900円／ばぁーばのすいとん 900円

DATA
- （住）那須郡那須町高久乙湯道東2727-344
- （TEL）0287-78-7322
- （営）[4～11月] 土日祝日11:00-14:30　平日11:00-14:00
　　　[12～3月] 土日祝日11:00-14:30　平日11:30-14:00
- （休）火曜
- （席）テーブル席 65席　全席禁煙　予約不可
- （¥）カード不可、電子マネー可
- （URL）https://usaburou.com　インスタグラム、フェイスブックあり

ACCESS　那須ICから北西へ約6km（車で約8分）

09
ごはんカフェ
〈栃木市〉

Parlour Tochigi
パーラー トチギ

地域の魅力を発信。
大正時代の面影残る、地産地消の洋館カフェ

上）白を基調とした落ち着きある店内。左下）「自家製プリン」と「自家製シロップ（苺）」。右下）1階奥の物販スペース。

モダンな建物は、大正
時代の面影が残ります。

大正11年に建てられた国の登録有形文化財を、カフェとして生まれ変わらせた「Parlour Tochigi」。蔵の街を散策する観光客や地域の人々の憩いの場となっています。

栃木市の魅力をたくさんの人に知ってもらおうと、市内で生産された食材を用いた料理を提供。季節の野菜をふんだんに使用した週替わりの食事メニューの他、「かきぬまさんちのたまご」を使ったスイーツ、自家製シロップのドリンクなど、老若男女が楽しめる味わいが揃います。

2021年の11月から、以前はギャラリースペースとして活用していた2階でも飲食を楽しめるよう、客席を用意。年月を経て色付いた味のある空間と、アンティークな家具の魅力が相まって、大正ロマンを彷彿とさせます。

1階のカフェの奥には、長屋造りを生かした物販のスペースが。市内に自生する孟宗竹の皮で編んだコースターや、稲わらや岩芝で作った敷物、ホウキモロコシで作った箒などが並びます。生活雑貨やオリジナルのコーヒー豆は、カフェスペースでも販売。食後に店内をめぐるのも楽しいひとときです。

左）週ごとに内容が変わる「パーラーのごはん」。季節の野菜を使用した食事が楽しめます。右）ドリップパックのコーヒーなどを販売。ギフトにも最適です。

（左から）オーナーの大
波龍郷さんとスタッフの
倉澤郁子さん、大貫佑
理さん、熊倉海斗さん

街歩きの途中に、ぜひ
お立ち寄りください。

MENU パーラーのごはん 900円〜／自家製プリン 600円（＋50円で生クリーム追加）／自家製シロップ 550円／珈琲 500円〜／パーラーのスコーン 600円

DATA
- 🏠 栃木市倭町11-4
- ☎ 0282-25-7700
- 🕐 11:00-17:00（L.O.16:00）
  - ［ランチ］11:00-14:00
  - ［雑貨販売］11:00-16:30
- 🈳 火、水、木曜
- 🪑 18席　全席禁煙　予約可（ランチのみ）
- ¥ カード可
- 🔗 インスタグラム、フェイスブックあり

ACCESS 栃木駅北口から北へ約1km（車で約3分）

百年の時間が織り重なる空間で
自慢のハンドドリップコーヒーを

　日光例幣使街道沿いにカフェ6店舗などを展開する「日光珈琲」。本店の「Cafe'饗茶庵」に続いて2番目にオープンしたのが、この「日光珈琲 玉藻小路」です。店舗は、大通りから一本入った静かな路地裏にありますが、かつてこの一角は花街としてにぎわっていたのだそう。店舗に使われている建物も、明治時代に遊郭として使われていた一軒家で、取り壊される直前にオーナーの風間教司氏の目に留まり、その佇まいにほれ込んだ風間氏が3年がかりでセルフリノベーションを行ったもの。こうして2011年に「日光珈琲 玉藻小路」がオープンしました。

　遊郭時代からの時間が染み込んだ建物に加え、風間氏が一つ一つ選んで配置したアンティークの照明やテーブル、椅子が、独特の存在感を放ち、訪れる者をやさしく迎え入れます。

　その空間の中で、一杯一杯丁寧なハンドドリップによって供されるのは、4種のオリジナルブレンドと、5種のシングルオリジンのスペシャルティコーヒー。挽いたコーヒー豆にお湯を注ぐスタッフの手の動きは、まるで店の空気をゆっくりと攪拌していくようで、思わず見入ってしまいます。

　ボリュームたっぷりの本格フード類も、この店の大きな魅力。

店舗名にある「玉藻」は地名ではなく、隣地に建っていた大型書店「玉藻書店」にちなんで付けられたそう。かつて地域の老若男女に愛された玉藻書店で使われていたレジ台が、今はこの店の厨房前にカウンターテーブルとして置かれ、その上で一杯ずつ丁寧にハンドドリップコーヒーが淹れられています。

左上）店舗奥にはステンドグラスの窓が印象的な特別個室も。左下）グリュイエールチーズとポークの相性が抜群の「さつきポークの具だくさんガレット」。右）人気の焼き芋にベリーやカラメルソースを加えた「テングイモパフェ」。

とくに２日間かけてスープストックから作る、スパイスを惜しみなく使った自慢のスープカレーは、ほろほろっと肉が骨から剥がれるやわらかな鶏モモ肉と、季節の色鮮やかな野菜、そして、添えられたレモン塩による絶妙な味の変化がやみつきになる逸品。各種デザート類も人気で、スコーンは、プレーンと、手作りのとちおとめジャムを生地に練り込んだ二つの味が楽しめます。

「古いものと新しいものが交じり合って生まれるこの空間で、お客さまお一人お一人がくつろいで心を癒やし、新たなエネル

入り口にあるNIKKO COFFEEの看板が目印。

上）カウンター席で外の緑を眺めながらひとりコーヒーを飲む時間を、アンティークのシャンデリアの光がやさしく包みます。左下）「スコーン2種」は、プレーンととちおとめのジャムを練り込んだ2種類にクリームチーズを添えて。右下）カウンターに整然と並ぶドリッパーとサーバー。

ギーをチャージしていただけたら」と、スタッフの竹谷さん。

　明治時代からの時の流れが幾層にも重なり合い形成されたこの店の空間は、まさに心と体を静かに回復させてくれるパワースポットのよう。五感を満たす、あらがい難い心地よさが、訪れる人々の心を魅了してやみません。

スタッフの竹谷藍さん

お子さまから大人まで、どなたでもくつろいでいただける店です。

MENU　自家焙煎ドリップ珈琲各種 660円／木苺ソーダ 660円／特製スープカレー コンフォートCセット（フード＋ドリンク＋ケーキ） 2,640円、ビジネスBセット（フード＋ドリンク）1,980円／スコーン2種 1,320円／テングイモパフェ 660円

DATA
㊟ 日光市今市754
☎ 0288-22-7242
🕐 11:00-19:00（L.O.18:30）
㊡ 月曜、第1・3火曜定休（祝日の場合は営業）
🪑 テーブル席 32席　全席禁煙
　予約可（土日は午前のみ予約可、
　時期によっては予約不可の場合も）
💴 カード可
🔗 http://nikko-coffee.com/
　インスタグラム、フェイスブックあり

ACCESS　下今市駅から南西へ約550m（徒歩で約7分）

11

ごはんカフェ
〈小山市〉

Cafe Reversi

カフェ リバーシ

昼は食事とドリンク、
夜はパフェ専門店に
様変わりするカフェ

ベーコンエッグなどが楽しめる、
石窯で焼き上げた「パニーニ」。

ノリタケなど器がカウンターに並ぶ、落ち着いた雰囲気の店内。

左）手前から「リバーシ珈琲パフェ」と季節限定の「ももパフェ」。右）山小屋風のかわいらしい一軒家。

　小山駅西口から北西に車を走らせること約10分。三角屋根の白い建物が姿を現します。昼はランチメニューやドリンクが楽しめるこのお店の夜の姿は、食事を一切無くしたパフェ専門店。「有名菓子店で腕を磨いたスタッフが作るスイーツを心ゆくまで堪能してほしい」と、夜はパティシエの本領が発揮されるパフェ専門店へとシフトチェンジを果たしました。とはいえ、ランチの料理も評判良く、パスタ、パニーニ、ライスから選べる食事を楽しみにゲストが来訪。落ち着いた雰囲気の店内は、気兼ねなく過ごせると、お一人さまの姿も多く見受けられます。

　夜は一転、パフェ以外のフードオーダーはすべてストップ。目にもおいしい、パティシエのこだわりが詰まったパフェが堪能できます。オーナーのお父さまが営む、自家焙煎珈琲豆店「豆時計」が煎ったオリジナルブレンドを使用した「リバーシ珈琲パフェ」は、季節を問わず味わえる定番メニュー。その他、四季折々の旬のフルーツを使用した華やかなパフェなどがコーヒーとともに楽しめます。

写真／お店入り口のチョークアート　コメント／オーナーの伊藤恭兵さん

昼と夜の二面性をお楽しみください。

MENU　Lunch Menu 1,200円〜／Aセット（パフェ＆ドリンク）　1,500円〜／気まぐれケーキ 550円〜／土・日限定スイーツ 550円〜／ブレンドコーヒー 450円〜

DATA
- 🏠 小山市立木924
- ☎ 0285-37-6492
- 🕐 [昼]11:00-16:00（L.O.15:30）　[夜]18:00-21:00（L.O.20:30）
  ※夜はパフェ専門店になるため、食事の提供はなし
  ※日曜はカフェ営業のみ（夜パフェはお休み）　11:00-20:00（L.O.19:30）
- 🈳 月曜
- 🪑 カウンター6席、テーブル17席　店内全席禁煙（テラス席は喫煙可）　予約可
- ¥ 電子マネー可
- 🔗 インスタグラム、フェイスブックあり

ACCESS　小山駅西口から北西へ約2.4km（車で約5分）

料理はもちろん
ロケーションや空間ごと
五感で味わうカフェ

12
ごはんカフェ
〈芳賀町〉

cafe mikumari

カフェ ミクマリ

上）数え切れないほどの
季節の野菜を食感豊か
に楽しめる「mikumari
プレート」。左下）空間
を楽しむカフェへと誘
うエントランス。右下）
「植物学者の部屋」を
イメージした人気席。

オーナーの髙橋尚邦さん

左）緑の庭を存分に楽しめるテラス席。お茶のお客さま専用です。右）テーマに合わせてディスプレーされたアンティーク小物の数々。その一つ一つに物語が隠れていそう。

何もないところですが、ぜひゆっくりしていってください。

豊かな大地と空の広がりが感じられる絶好のロケーション。石づくりの階段に誘われて季節の草花が風にそよぐナチュラルガーデンを抜けると、緩やかなアーチの庇が印象的なエントランスが温かく迎え入れてくれます。この建物は、基礎や骨組みこそ馴染みの大工さんに任せたそうですが、それ以外の内装やエントランスなどはオーナーの髙橋尚邦さん自ら時間をかけて作り上げたもの。廃材や古い建具などを随所に取り入れており、ぬくもりとセンスの良さが感じられます。店内に足を踏み入れると、そこはまるで海外の古い物語の世界に迷い込んだかのよう。「海洋学者の部屋」や「植物学者の部屋」など、イメージに合わせてアンティークの小物などが配置され空間ごと楽しむことができます。

益子で評判のカフェで料理長も任されていた尚邦さん。煮る、焼く、蒸す、揚げるなど調理法を巧みに使い分け、野菜のおいしさを最大限に引き出した「mikumariプレート」が人気です。最近では野菜の自家栽培も始めたそう。奥さまが営む雑貨店「homusubi」には2人のおすすめの品が並びます。「水分（みくまり）」の名の通り、まさに恵みを分かち合う場となっています。

「水分（みくまり）」は水を分け与える場所という意味の古い日本語。

MENU mikumariプレート（野菜の採り合わせ＋肉料理＋五分つきご飯＋ドリンク）2,000円／15年カレープレート（野菜の採り合わせ＋カレー＋五分つきご飯＋ドリンク）1,750円／サラダプレート（野菜の採り合わせ＋ドリンク）1,550円／カフェラテ 600円／クレームカラメル 500円

DATA
- 🏠 芳賀郡芳賀町東水沼1032-12
- ☎ 028-677-3250
- 🕐 11:30-16:00（L.O. 食事14:30　お茶15:30）
- 休 日曜
- 席 24席　全席禁煙　予約可
- ¥ カード不可
- URL http://mikumari-homusubi.com　インスタグラムあり

ACCESS 宇都宮駅から東へ約14.2km（車で約24分）

雑貨カフェ

それぞれのお店で吟味された商品を扱う雑貨カフェ。カフェタイムの合間には雑貨の探訪も楽しんで。心惹かれる "とっておき" との出会いがきっと待っています。

13

雑貨カフェ
〈足利市〉

Gallery
Nemunoki

ギャラリー ネムノキ

左）セルフリノベーションを施した店内。
土間はカフェ、小上がり部分はレンタルス
ペースとして活用。さまざまなイベントが
開催されます。右上）ムラ染めのシックな
暖簾がレトロな入り口をモダンに仕立てま
す。右下）自家製シロップで「乙女drink」
を作る、オーナーの日馬純恵さん。

自然軸に寄り添い、静謐な時を刻む
アンティークカフェギャラリー

　初夏には蛍が舞う「名草川」からほど近く。足利市郊外にあ
るこのギャラリーカフェには、日本各地からゲストが訪れま
す。アクセサリー作家としてのキャリアを持つ、オーナーの日
馬純恵さんがこの古民家で店を始めたのは、2012年のこと。自
身のテナントとしてではなく「店舗を持たない作家たちの支え
となるような場所にしたい」と、娘さんたちとセルフリノベー
ションを施しました。

　墨黒に染められた暖簾（のれん）をくぐると、外界とは少し異なる空気
感。ノスタルジックな中に凛とした雰囲気が漂います。至る所
で静かに存在感を示す、アンティークな小物たち。穏やかな時
がひっそりとたゆたう。そんな居心地のよさが感じられます。

　カフェで提供されるのはドリンクのみ。コーヒーが苦手な人
のために考案した「乙女drink」が人気となり、今や立派な看板
メニューとなっています。常連客の多くは、オリジナルブレン
ドの「Mothers Coffee」や「乙女drink」を楽しみながら、日没
までここで過ごすそう。「帰ろう、と思うと誰かが訪れて、また
話が弾むでしょ？そうするとみんな帰れなくなっちゃうの」と
チャーミングに語る日馬さん。食べ物の持ち込みが自由という

家具や雑貨が心地よさそうに佇み、ゆったりと呼吸して
いる店内。平穏な静けさが居心地の良さを生み出し
ています。無造作のようでいて秩序が保たれた小物の
配置は、日馬さんのセンスによるもの。ケトルなどが
置かれた机が日馬さんの作業台。ゲストと会話を楽し
みながらドリンクを作ります。

左上）ウエディングフォトなどで使用されるヌック。フォトジェニックな一枚が撮影できます。左下）日馬さんの目利きで集められたアンティークの小物やカトラリー。右）手前／「夏みかんの乙女 drink」。奥／「プラムの乙女ドリンク」。1日かけて作る果肉入りシロップが大好評。豆乳又はソーダ割りが選べます。キュートなドライハーブも自家製です。

 こともあり、時々ポットラックパーティーになるとか。「ここを訪れる人はみんな話が合うから、どんどん輪が広がるの」。日馬さんを中心に、ご縁がたくさん生まれているようです。

　時計がない店内では、日没が閉店の合図。冬場は大体閉店時間通りですが、夏場はいたっておおらかな対応です。"日馬さん流のおもてなし"は、足を運んでくれた人々にゆるりとした時を過ごしてもらうこと。ゲストへの愛しみの心が感じられます。

　ギャラリーでは、アパレルやアクセサリー、服飾雑貨、生花などを不定期で販売。力のある作家の活動を積極的にサポート

戸棚に貼られた常連客のドリンクチケットも、装飾の一部のよう。

上）アンティークな木工家具と無骨な小物がスタイリッシュ。下）月に1度販売される生花。右下）愛知県の「garage coffee company」が焙煎するオリジナルブレンドの「Mothers Coffee」。

しています。展示される商品は、店の佇まいに寄り添った上品かつ個性的なアイテムのみ。最近ではアルカイックな趣に注目が集まり、ブライダルやマタニティフォトのスタジオとしても利用されることも多いそう。フォトグラファーが個展を開くなど、活用範囲は多岐にわたります。

MENU Mothers Coffee（HOT・ICE）550円／乙女drink 550円／soy latte 550円／ほうじ茶latte 550円

オーナーの日馬純恵さん

里山にのんびり、癒やされに来てください。

DATA
- 住 足利市名草中町1684
- 営 11:00-16:00
- 休 水曜（イベント出店での臨時休業あり）
- 席 10席　全席禁煙　予約可
- ¥ カード不可
- URL インスタグラム、フェイスブックあり

ACCESS 足利ICから北へ約4.6km（車で約7分）

14

雑貨カフェ
〈栃木市〉

工藝と喫茶

物華

こうげいときっさ ぶっか

誠実な手仕事による
「工藝」と「喫茶」、
伝統技術による空間も愉しんで

重要伝統的建造物群保存地区・
嘉右衛門町に軒を連ねる「物華」。

松本民芸家具によるテーブルと椅子など職人の手しごとに触れることのできる店内。

左）カスタードプリンと、陰影が印象的な「物華」の空間をイメージして作られたオリジナルブレンドコーヒー。右）セレクトされた美しい器。

風情あるまち並みが残る日光例幣使街道沿いに軒を連ねる「物華」。「工藝と喫茶」の店として、店主の鯉沼俊さんが2021年にオープンしました。

「誠実にものづくりをしている全国各地の作り手による工藝品の良さを丁寧に伝えたい」——。築100余年の見世蔵を店主自らの設計・デザインによりリノベーションした空間からも、その想いが伝わってきます。棚に並ぶ器や布・革製品などの生活用品は、鯉沼さんが直接作り手に会い、そのものづくりの姿勢や人柄に「すてきだな」と思いセレクト。多くの人に生活に取り入れてもらいたい、と展示販売しています。

控えめに置かれたメニュー表に並ぶのは、「丁寧におもてなしをしたい」と、一つ一つ吟味している飲み物と、それらに合うように選んだ甘味。地場産の卵ときび糖で手作りする「カスタードプリン」は、鯉沼さんが理想の硬さに焼き上げています。

伝統的な和の空間に作り出される陰影の美。慌ただしい日常にトゲトゲしがちな心をいつの間にか穏やかにしてくれていることに気付かされるはずです。

オーナーの鯉沼俊さん

喫茶や物だけでなく、場の空気を含めてお楽しみいただければうれしいです。落ち着いた良い時間をお過ごしいただけますように。

MENU カスタードプリン 520円／今月の菓子 500円〜／プリン・ア・ラ・モード 840円〜／オリジナルブレンドコーヒー 570円／和紅茶 600円

DATA
- （住）栃木市嘉右衛門町1-12
- （TEL）0282-25-5386
- （営）10:00-19:00（L.O.18:30）
- （休）水曜（ほか臨時休業あり）
- （席）テーブル席 16席　全席禁煙　予約不可
- （¥）カード可
- （URL）https://www.bucca.store/　インスタグラム、フェイスブックあり

ACCESS 新栃木駅西口から南西へ約1.2km（車で約4分）

15
雑貨カフェ
〈栃木市〉

FROGS GARDEN
TARO TARO

フロッグスガーデン　タロタロ

栃木の良さが丸ごと分かる
カフェと雑貨店の複合ショップ

上）ハンドメイド雑貨
や新鮮野菜、食品な
ど、栃木ゆかりの品を
販売。左下）県産野菜
を使用した「季節の野
菜カレー」。右下）「本
日の珈琲」と自家製
「クレームブリュレ」。

左）古民家をリノベーションした店の入り口。出窓に書かれた店名とかわいらしい暖簾が目印。右）からだにうれしい豆乳を使用した「豆乳坦々麺」。豊かな彩りが食欲をそそります。

写真／TARO TAROのロゴ　コメント／FROGS GARDEN 店長の田中宏輝さん

からだにも環境にもやさしい商品をご用意してお待ちしております。

「NPO法人自然史データバンクアニマ net」のプロジェクトの一環としてサポートを受け、古民家をリノベーションして作られたアンテナショップ「FROGS GARDEN」。

蚤の市通りに面した入り口を入ると、まず目に入るのは雑貨の物販コーナー。アパレルやアクセサリー、雑貨など、日常を彩るアイテムが多数並び、別のコーナーには、採れたて野菜や卵、コーヒー豆などの食料品が陳列されています。置かれている商品はすべて栃木県内の作家さんや農家さんが作ったもの。「環境にも、身体にもやさしい」をコンセプトとした店内では、お店の雰囲気に寄り添ったナチュラルなハンドメイド作品や、栽培期間中農薬不使用の作物を販売しています。

店内のキッチン「TARO TARO」では、「FROGS GARDEN」で売る野菜も使用。元オーナー渡邊翔太朗さんの意思を継ぎ、現在は渡邊智世さん・ひかるさん姉妹でカフェを営んでいます。新鮮野菜たっぷりのメニューは、どれも季節のおいしさが感じられるものばかり。自家製デザートやドリンクに使われる、ほのかにレトロな器の風情が、蔵の街の雰囲気にしっくりと馴染みます。

料理はレジカウンターで注文を。店内全席で食事が可能です。

MENU　季節の野菜カレー 800円／温玉ガパオライス 800円／豆乳坦々麺 900円／とち介の蔵焼き 200円〜／蔵の街ブレンド珈琲 350円〜

DATA
- 住 栃木市倭町3-14
- 営 [FROGS GARDEN] 10:00-18:00
  　 [TARO TARO] 10:00-18:00　ランチ 11:30-14:00
- 休 月・火・水曜
- 席 16席　全席禁煙※テラス席は喫煙可　予約可
- ¥ カード不可
- URL インスタグラム、フェイスブックあり

ACCESS　栃木駅北口から北へ約1.1km（車で約4分）

16

雑貨カフェ
〈日光市〉

Carafe
− 808 GLASS NIKKO −
カラフェ - ヤマヤグラス ニッコウ −

Carafeで使用したガラス食器も販売している2階のショップ。カウンター、テーブル席ではカフェメニューをどうぞ。

「808 GLASS NIKKO」。1階が
工房とCarafe、2階にショップ
を併設。

ガラス×料理——。
互いに引き立て合い、より美しく、よりおいしく

　「透明なガラスは本当に美しい透明なガラスに、色のあるガ
ラスは本当にきれいな発色のガラスに」——。鹿沼市に工房を
構える「808 GLASS（ヤマヤグラス）」代表でありガラス作家の
大山隆さんが、1000℃を超える溶解炉に向かい、常に追求し続
けていることです。吹きガラスの技法を駆使し質感や色合い、
デザインの異なる表情豊かなさまざまなガラス製品が作り出さ
れます。「808 GLASS」では2018年、中禅寺湖や華厳の滝など
の雄大な自然と、世界遺産・二社一寺の神秘的で凛とした雰囲
気に魅了され、念願の奥日光に二つ目の工房をオープン。1階
には、ガラス作り体験もできる工房を、2階にはショップを併
設。2021年4月には、大山さんと、店長で妻の紗有美さんが、
その料理の腕と人柄に大きな信頼を寄せるシェフ・見目怜士さ
んとの出会いがあり、レストラン「Carafe」が新たに加わりま
した。
　ガラスのランプがともる空間で味わえるのは、上質な地元食
材の魅力を最大限に生かし、味、盛り付けにも見目さんならで
はの工夫を凝らしたランチと、デザートなどのカフェメニュー
です。

左上）Carafeでしか味わえない「グラスデザート」。新たなデザートのためにグラスを一からデザイン・製作。左下）光が当たり、そこにできる陰の美しさもガラスの魅力。右）地元食材を生かし、盛り付け、味わいにもシェフならではの工夫を凝らした「Carafe lunch」を「808 GLASS」製のランプが優雅に輝く店内で。

前菜には、契約農園・ベジファーム（壬生町）の旬の有機野菜をたっぷり。素材ごとに蒸し焼きにしたり、レモン汁を加えた爽やかなピクルスにするなど、彩りも豊かに「808 GLASS」のプレートに盛り付けます。メインには、地元のブランド食材「ヤシオマス」「日光HIMITSU豚」から選ぶひと皿を。

そして2022年春、デザートも器もオリジナルの「グラスデザート」が新登場。見目さんのデザートに合わせ、大山さんがグラスを製作して完成した、Carafeでしか味わえないメニューです。「料理を盛り付けたり、飲み物が入ったときの美しさ、デザートを盛り付けたときのガラスの表情を見てもらえます。ガ

秋期限定の自家製デザート「パリブレスト」。

上）こだわりの豆を使い、一晩かけて水出しする「水出しカフェオレ」と「本日の自家製デザート」。左下）地元ブランド豚によるメインの一皿と、彩り豊かな前菜は「808 GLASS」のプレートに盛り付け。右下）2階のショップでお気に入りを見つけて。

ラスの器で味わったとき、よりおいしく感じられるということを体感してもらえると、うれしいです」と、紗有美さん。以前は贈り物として購入する人が多かったガラス食器でしたが、Carafeのオープン以来、「自分用に」という人が増えたのだそう。2階のショップでは、Carafeで使用した器も販売しています。

店長の大山紗有美さん

ガラス製品を少しずつでも身近に取り入れることで、毎日の暮らしに豊かさを感じてもらえたらうれしいです。

MENU　Carafe lunch（前菜・メイン・パン・ドリンク付き）1,700円／グラスデザート（季節のフルーツ・抹茶）950円／本日の自家製デザート 600円／パリブレスト（秋期限定）700円／水出しアイスコーヒー 600円

DATA
- 住 日光市中宮祠2478-8（華厳の滝第2駐車場前）　TEL 0288-25-5368
- 営 4月中旬〜12月初旬Open（冬期休業あり・詳細はSNSに掲載）
  ［カフェタイム］土・日・祝日 10:00-17:00（L.O.16:00）
  ［ランチタイム］ 土・日・祝日 11:30-14:00
- 休 月〜金曜
- 席 1階 テーブル席 19席
  2階（カフェメニューのみ）テーブル席 2席
  カウンター席 3席 ソファ席 3席　全席禁煙
  予約可（11:30〜のランチのみ）
- ¥ カード可
- URL https://www.808glassworks.com
  インスタグラム、フェイスブックあり

ACCESS　清滝ICから西へ約14.2km（車で約19分）

17

雑貨カフェ
〈栃木市〉

TOUKOUSYA
カミヤマト焙煎室

トウコウシャ　カミヤマトばいせんしつ

上）壁や内装はほぼ
DIYによる仕上げ。左
下）挽きたての一杯を
ぜひ。右下）子どもに
やさしいキッズスペー
ス。オムツ替えのスペー
スもあります。

縁あって引き継いだものを大切に……
そして、夫婦で少しずつ自分たちの店に

左）右）入り口から入ってすぐ右手に焙煎室があり、タイミングが合えば焙煎の音や香りを楽しめます。オリジナルブレンドの名前は「染付」「青磁」「漆」など、器に関わる言葉から。

神山裕紀さんと光恵さん
夫妻

ぜひご家族でいらしてください。お子さまもご一緒にどうぞ。

焙煎したての珈琲豆の香ばしい香りが漂う店内。カミヤマト焙煎室を併設した「TOUKOUSYA」は、自家焙煎珈琲豆とその豆を丁寧にハンドドリップしたコーヒーを販売する他、食卓と暮らしを彩る雑貨も取り扱っています。

1923年創業の陶器店を縁あって先代から引き継いだのは店主の神山裕紀さんとそのお母さま。2009年に引き継いだ時にはすでに珈琲豆を仕入れて販売していましたが、コーヒーについてはそれほど詳しくなかったそう。店で扱うからにはと見識を深めるうちにその魅力にはまり、ついには自家焙煎をするまでに。

カミヤマト焙煎室では、まずは生豆を丁寧に水洗いし、汚れやチャフという豆の皮を取り除く作業から始めます。「単純に飲み比べたら水洗いした方がおいしかったんです。洗うことで不良豆なども見つけやすくなるんですよ」。2017年からは奥さまの光恵さんも一緒に店に立つように。2021年10月に念願の店内改装を経て、徐々にご夫婦のカラーが深まっています。「器や雑貨を選ぶ何気ない会話にもお客さまの家族の風景が透けて見えることがあり、それもまた楽しみの一つです。その家族の風景に溶け込み長く愛用していただけるものを販売したい」と語ります。

大通りに面した外観。面影を残しつつ新しく生まれ変わりました。

MENU ホットコーヒー（シングルまたはブレンド）400円／アイスコーヒー（深煎り豆「漆」）400円／キッズドリンク（りんご100％）200円／自家焙煎珈琲豆 100g 750円〜

DATA
- 住 栃木市倭町5-17
- TEL 0282-23-2251
- 営 11:00-17:00
- 休 日・月曜
- 席 6席
- ¥ カード可　電子マネー可
- URL https://toukousya.net/
  インスタグラムあり

ACCESS 栃木駅北口から北へ約1km（車で約3分）

18
雑貨カフェ
〈佐野市〉

FAM COFFEE&CO
ファム コーヒーアンドコウ

インテリアショップの
カフェで味わう
自家焙煎コーヒーとスイーツ

アンティークな門柱や枕木のアプローチがおしゃれ。スタイリッシュな白亜の建物が印象に残ります。

大きな窓から燦々と光が差し込む洗練された空間。置かれた家具は購入が可能です。

左）自家焙煎のコーヒーと楽しみたい「バナナのショートケーキクレープ」。右）観葉植物も販売しています。

　オーナーの坂田浩介さんが海外で買い付けるアンティークや
ビンテージ家具を販売する「SETT F.」。唐沢山の麓ののどかな
場所にありながらも、唯一無二のインテリアを探し求めにた
くさんの人が遠方から来訪します。インテリアショップ内に
「FAM COFFEE&CO」が誕生したのは2022年の1月のこと。ご
来店されるお客さまからの熱い要望を受けて、くつろげるス
ペースをオープンすることになったそうです。「家具の使い勝手
を確かめてから購入に至ってほしい」との想いから、コーヒーや
スイーツを、展示販売しているテーブルやチェアで堪能するこ
とが可能。スペシャリティコーヒーを味わいながら、「自宅にこ
のテーブルセットを置いたら……」と、ライフスタイルをイメー
ジするのも乙なものです。

　カフェで味わえるドリンクやスイーツも、家具と同様にすべ
て高品質。エチオピアやドミニカ、ブラジル、コロンビアなど、
厳選産地から品質の良い生豆を仕入れて自家焙煎しています。
浅煎りに仕上げたスペシャリティコーヒーと、自家製デザート
で至福の時を過ごせます。

オーナーの坂田浩介さん

自家焙煎の浅煎りコー
ヒーとバスクチーズケー
キが人気です。

MENU　Cafe Latte 620円／Lemon Squash 660円／Lemon Coffee 660円／バスクチーズケーキ 770円／バナナ
　　　　のショートケーキクレープ 770円

DATA　㊟ 佐野市富士町232-1
　　　　℡ 0283-21-0844
　　　　㊟ 11:30-16:00（L.O.）※時期により変更あり　　[SETT.F] 11:00-18:00
　　　　㊡ 水曜、第3木曜
　　　　㊞ 18席　全席禁煙（テラス席は喫煙可）　　予約不可
　　　　㊅ カード可
　　　　㊤ https://www.sett-furniture.com/f-cafe/
　　　　　　インスタグラム、フェイスブックあり

ACCESS　佐野スマートICから北西へ約4km（車で約10分）

秋元珈琲焙煎所
ギャラリー田谷

あきもとこーひーばいせんじょ　ギャラリーたや

19
雑貨カフェ
〈大田原市〉

秋元さんがこだわりを持って集めたミルやコーヒーポットが所狭しと並ぶ店内は珈琲好きの心を
くすぐる独特の雰囲気を醸しています。

大好きだった曾祖父母が暮らしていた当時のままの建屋を利用したお店は静かな集落に溶け込むように佇みます。

心を揺らす珈琲、器、風景、そして人との出会い

「秋元珈琲焙煎所」は、大田原の市街地から少し離れた田園地帯の小さな集落に溶け込むように建っています。焙煎士・秋元健太さんが生まれ育った故郷で、大好きだった曾祖父母が住んでいた建物を利用して2014年9月に始めました。「本当にうまい珈琲を提供できる焙煎士になりたい」。そう決意を固め、ひたすら邁進してきた秋元さんが思わぬ壁に直面し自暴自棄になりかけた時、珈琲と、この土地、この風景が自分を救ってくれたと話してくれました。

あさつゆ、黄昏、夕闇……。秋元さんの作り出すブレンドには、日常の中で目にした美しい自然の一コマが名付けられることが多いそうです。「心を動かされた情景を珈琲で表現したい」と豆を選ぶところから始め、その状態や気候に合わせ焙煎を模索しながらブレンドを作り出すこともあるのだとか。尊敬する焙煎士のもとで人生観を含めさまざまなことを学べた経験があるからこそ、自分の感覚を信じて焙煎に集中できるといいます。「一杯の味噌汁のような普段の生活に欠かせない、ほっと幸せを感じるような珈琲を作っていきたい」。秋元さんの繊細な感覚と静かな想いが伝わってきます。

左上）左下）常時5種類のブレンドの他、季節限定が加わる場合もあり試飲の上で購入が可能です。右）ギャラリー田谷に並ぶ作品からは大地や炎の力強さと繊細な自然の息吹が感じられます。

　もう一つ、大切にしている想いがこのお店の接客スタイルに表れています。それは生産地を訪れた時、その風土や生産者の生活に直面したことで知った「珈琲豆に携わるたくさんの人たちの想い」。それを焙煎士として真摯に受け止め大切に提供していきたいと感じ、1組ずつのお客さまの好みを伺いながら説明とともに試飲を提供する対応になったそうです。

　店の向かいにある「ギャラリー田谷」は、すぐ近くの神社で湧く清らかな泉と田谷川の流れを守り続けたいという想いで、秋元夫妻が2021年1月に開設したお店です。"水"をテーマに展

ギャラリーの入り口には草船をかたどる看板が一つ。

上）秋元珈琲焙煎所（手前）とギャラリー田谷（奥）。左下）右下）気になる豆で秋元さんに淹れてもらったコーヒーを試飲しながらコーヒー談議に花を咲かせるのも楽しいひととき。

示・販売されている器や照明は夫妻が心惹かれた作家さんに直接声を掛けて全国から集めたものばかり。自然を美しく昇華した力強い造形が見る人の心を捉えます。

　さらに、田谷川のほとりでコーヒーを淹れて提供する移動販売「珈琲喫車」も年に数回、計画されています。四季の移ろいと田谷川のせせらぎを感じながら静かに味わうコーヒーとの出会いもまた楽しみの一つとなりそうです。

店主の秋元健太さん・由布子さん夫妻と息子の遥水くん、スタッフの美絵さん

何もないところですが、ここまでの道のりもまた楽しんでいただけたらうれしいです。

MENU　あさつゆ 100g 650円／黄昏 100g 650円／夕闇 100g 650円／モカブレンド（中深煎り）100g 650円／モカ（深煎り）100g 650円

DATA
- 住）大田原市親園2301　TEL）080-8874-8361
- 営）水〜土曜 13:00-18:00
　　（ギャラリー田谷のみ〜17:00）
　　※焙煎所は、1組ずつのご案内のため、
　　　外でお待ちいただくこともございます。
- 休）日・月・火曜
- 席）予約不可
- ¥）カード不可　電子マネー不可
- URL）https://tanketomokia.wixsite.com/akimotocoffee
　　インスタグラム、フェイスブックあり

ACCESS　野崎駅から南東へ約6.1km（車で約10分）

20

雑貨カフェ
〈真岡市〉

GOURD+m
CafeGallery

ゴウドプラスエム カフェギャラリー

古き良き真岡の路地裏に
二人の小世界
パンのおいしいカフェ＆雑貨店

レトロ懐かしいカフェの入り口。
パンのおいしい香りが漂います。

古い建具や家具が懐かしくおしゃれな雑貨店。店主が確かなセンスで選んだ品々が並びます。

左）人気のパンプレートには季節のデザートも付きます。右）ランチは予約がおすすめです。

　真岡の街の大通りから一本入った路地裏、昔から人々の暮らしの営みが繰り返されてきた一角に、ヴィンテージの温かみが感じられる雑貨店とカフェが寄り添うように建っています。右手の雑貨店は元は芸者の置屋、左手のカフェはおかみさんのお住まいだったそう。センスよく改装された店内は、どちらもとても落ち着く空間です。

　別の場所で雑貨店を営んでいた仙波さんのお店のイベントに清水さんが参加したことで2人は出会い、2010年にそれぞれのお店を隣り合ってオープンしました。それから十余年、手作りパンのおいしさと地元の新鮮野菜をふんだんに使ったプレートメニューが評判を呼び、週2回のカフェ営業日はいつも満席に。

　「年齢を重ねたからか、いいモノはやっぱりいいと思い至った」と話す雑貨店主の仙波さん。2022年秋、作家が作り出す「いいモノ」を多く取り入れたこだわりの雑貨スペースにリニューアルします。カフェでお腹を満たした後は、時がゆったりと流れるような趣のある雑貨店で買い物を楽しみ、心まで満たされるひとときを。

雑貨店主の仙波洋子さん（右）とカフェ店主の清水知美さん

小さなお店ですがゆっくりとお過ごしいただければうれしいです。

MENU　パンプレート（お野菜プレート、自家製パン2種、スープ、デザート付き）　1,200円／サンドセット（スープ、デザート付き）　1,000円／珈琲（福島県珈琲舎MIYABI）　400円／カフェラテ 400円／チャイラテ 400円
　　　　　※ドリンクは食事と一緒なら200円に

DATA　🏠 真岡市荒町1040-5　📞 0285-81-5673
　　　　　🕐 [カフェ] 火・金 12:00-15:00　　[雑貨] 火・金・土・日 12:00-16:00
　　　　　💤 臨時休業などありますのでHPをご覧ください
　　　　　🪑 テーブル席 8席　全席禁煙　予約可
　　　　　💴 カード可　電子マネー可（PayPayのみ）
　　　　　🔗 https://gourd-zakka.com/　インスタグラムあり

ACCESS　真岡駅から北東へ約1.1km（車で約4分）

街めぐるカフェ

MACHI MEGURU CAFE

宇都宮編

栃木県の中心地、宇都宮。大谷石の産地としても知られ、平坦地が広がり周遊しやすい自転車の街でもあります。新店が続々と開店しているエリアから5軒をご紹介。

10

dough-doughnuts cafe

ATR STORE

那須

かまがわプロムナード

35

東武宇都宮百貨店

東武宇都宮R
TOBU UTSUNOMIYA

中央小

松ヶ峰幼稚園

5 ATR STORE

宇都宮中央郵便局

松ヶ峰1丁目

いちょう通り

中央3丁目

栃木銀行本店

1
dough-doughnuts cafe

マツガミネコーヒービルヂング101本店

4 KIWI COFFEE STAND

NHK宇都宮放送局

KIWI COFFEE STAND

2 **3** ealt.cafe

119

宇都宮市役所

東武宇都宮線

宇都宮城址公園

東京街道

N

← 鹿沼

0   200m

出来たてのドーナツをその場で楽しめるカフェ空間。
のんびりゆっくり、おやつ時間を満喫できます。

🍩 dough-doughnuts cafe

季節を味わう甘くて幸せなおやつ

「毎日食べたい安心おやつ」をテーマにした、手作り
ドーナツ専門店が営むカフェ。月替わりで楽しめる
「ドーナツパフェ」は、自慢のドーナツと季節のフルー
ツをふんだんに使ったスペシャルデザートとなってい
ます。ヨーロッパの古家具や雑貨に囲まれた空間で、
甘く幸せなひとときを過ごしてはいかがでしょう。

DATA

- 🏠 宇都宮市西2-2-22　　☎ 028-637-2522
- 🕐 平日12:00-18:00(L.O.17:30)
  土日祝10:00-18:00
  (L.O.17:30)
- 🈚 月曜、第1・3火曜
- 🪑 13席　全席禁煙
  予約不可(商品の取り置きは可能)
- ¥ カード不可　電子マネー不可
- 🔗 http://www.dough-doughnuts.
  com
  インスタグラム、フェイスブックあり

左上)定番から季節限定まで、さまざまなドーナ
ツを用意。右上)人気の「ドーナツパフェ」。月ご
との旬の味わいを楽しみにしているリピーターも
多数。下)シャビーな雰囲気の店内。左横)ドー
ナツ型の看板が目印。

② マツガミネコーヒー ビルヂング101本店

日常と心に寄り添うやさしい時間

「あずき坂」と呼ばれる、緩やかな坂の下に佇む古ビルを、一棟丸ごと改装し誕生した同店。誰もが気兼ねすることなく、日常使いのできる「使い勝手の良いカフェ」をコンセプトに、スペシャルティコーヒーをはじめ、手作りの料理やスイーツを提供。訪れる人の日常、そして心にそっと寄り添う、やさしいカフェです。

DATA

- 住 宇都宮市松が峰2-8-3
- TEL 028-634-5202
- 営 10:00-18:00
  金・土曜・祝前日 10:00-22:00
- 休 無休
- 席 26席
  全席禁煙　予約可
- ¥ カード不可　電子マネー可
- URL http://www.bldg84.com
  インスタグラムあり

左上）一人でも気軽に過ごせる居心地のいい店内。右上）焼き菓子も販売。中央）ランチメニューも充実。台湾の国民食「魯肉飯」は同店ならではのアレンジをきかせたおすすめの自信作です。左横）坂に面した店舗。

ealt.cafe ③

安らぎと癒やしをもたらすカフェ

扉の先に広がるのは、白を基調とした洗練されたデザインと開放感溢れる明るい空間。一面の窓からは、街中でありながらも、季節によって表情が豊かに変化していく自然風景が眺められます。本格コーヒーの他、クロッフルやブラウニーなどのスイーツも人気。ゆっくりとしたカフェ時間を過ごすことができます。

DATA

- 住 宇都宮市松が峰2-9-3 TMビル2F
- TEL 028-635-5067
- 営 12:00-19:00(L.O.18:30)
- 休 火曜、不定休あり
- 席 12席　全席禁煙　予約不可
- ¥ カード可　電子マネー可
- URL インスタグラムあり

上）見慣れた風景も新鮮に感じられる、ロケーションのよさも魅力です。左下）コーヒーに合う焼きたての「クロッフル」。右下）センスを感じられる余白づかいで、落ち着ける空間を演出。右横）店舗は市役所前ビルの2階。

④ KIWI COFFEE STAND

"日常"となるコーヒーと和洋菓子

「お客さまにとって日常の一部となるお店でありたい」と、テーブル席や専用駐車場をあえて設けず、気軽に立ち寄れるスタンドスタイルでコーヒーを提供。多忙なビジネスワーカー向けに、すぐに渡せる「クイックコーヒー」など、さりげない心配りもうれしい同店。コーヒーの味わいを引き立てる、和洋菓子も評判です。

DATA

- (住) 宇都宮市中央2-3-1 MIXOビル1F
- (TEL) 028-678-4220
- (営) 8:00-18:00
- (休) 月曜、第2・4火曜
- (席) テーブル席なし（ベンチ席あり）
  全席禁煙　予約不可
- (¥) カード可　電子マネー可
- (URL) インスタグラム、
  フェイスブックあり

上）全面ガラス窓を採用したオープンな外観。左下）一口サイズの和菓子は、静岡県の和菓子店「花灯」のもの。右下）カップのふたは飲みやすい形状。人気の「カヌレ」とともに。左横）インコとカップがお店のシンボル。

⑤ ATR STORE

カジュアルに楽しみ、味わう

数種のスパイスやハーブ、柑橘果汁に漬け込んだローストポークやハムなどの具材を、特製ブレッドで挟み、バターでプレスした話題のホットサンド「キューバサンド」の専門店です。古着やインポートアイテム、オリジナルグッズを扱うセレクトショップに併設されたカジュアルな雰囲気の空間で、ショッピングも楽しめます。

DATA

- (住) 宇都宮市中央本町3-8 三共ビル2F
- (TEL) 080-7859-9691
- (営) 12:00-22:00
  土・日曜 12:00-0:00
- (休) 不定休
- (席) 11席　全席禁煙　予約不可
- (¥) カード可　電子マネー可
- (URL) インスタグラムあり

左上）雑貨コーナーではオリジナルグッズも販売。右上）ボリュームたっぷりの「キューバサンド」はテイクアウトも可能。下）洋服好きにはたまらない、トレンドをおさえたセレクトショップ。右横）入り口はビルの2階。

黒磯公園

公園通り

ダイユー

等覚院

福島整形
外科病院

黒磯神社

HOTEL
TOPS

1988 CAFE
SHOZO

1 **3** **2** NONOWA Cafe
黒磯2号店

カフェ・ド・
グランボワ

菅間記念病院

Chus

黒磯駅前

板室街道

まちなか
交流センター
くるる

4
5

黒磯高

55

黒磯小

黒磯馬R

豊浦豊町

KUROISO

Iris BREAD
& COFFEE

図書館
みるる

N

0　　100 m

55

↑
那
須

那
須
駅
ー
東
北
本
線

街
めぐる
カフェ

MACHI MEGURU
CAFE

黒石幾 編

カフェから広がる街の魅力に惹かれ、全国
から人が訪れる黒磯エリア。駅から徒歩20
分圏内にはすてきなお店が選びきれない
ほど！ぶらりカフェのはしごもおすすめ。

←
西
那
須
野
中
央
→

1988 CAFE SHOZO

このカフェのある街が 旅の目的地

　このカフェと、カフェのある街を訪ねたい。そんな人たちが全国各地から引きも切らず訪れるのが「1988 CAFE SHOZO」です。一軒のお店から通りが生まれ、にぎわう街へ。年月をかけて作られた心地の良い空間は、スタッフ一人一人が毎日心を込めて磨き上げています。「この空間に負けないサービスを提供したいです」と、店長の菊池さん。

DATA

- (住) 那須塩原市高砂町6-6　(TEL) 0287-63-9833
- (営) カフェ 11:00-18:30　(L.O.18:00)
- (休) 不定休
- (席) テーブル席 40席　全席禁煙　予約不可
- (¥) カード可　電子マネー可
- (URL) http://www.shozo.co.jp
  インスタグラム、フェイスブックあり

左上）中央）細部まで配慮された美しい空間は、そこで過ごす人を清々しい気持ちにさせてくれます。右上）一杯一杯心を込めて丁寧にハンドドリップされています。左横）1988年に2階の一室からお店が始まりました。

スコーンとお好きなケーキを選べる「ケーキシエスタ」は、お腹も心も大満足。

NONOWA Cafe 黒磯2号店 ②

お一人でも気軽に 〆パフェのお店

那須町でランチを中心にしたカフェを切り盛りする店主が、お客さまとのコミュニケーションをもっと大切にしたいと始めたのが「NONOWA Cafe 黒磯2号店」。夕方から開店するこちらのお店では、仕事帰りに軽食をいただき〆にはパフェを。第二の家のようにゆっくり過ごせます。「男性お一人でも気軽に立ち寄っていただきたいですね」

DATA

- 🏠 那須塩原市高砂町1-15 📞 0287-74-3355
- 🕐 水～金曜 18:30-22:00
  土曜 18:30-23:00 日曜 12:00-17:00
- 🈺 月、火曜
  ※不定休があるため
  インスタグラムをご確認ください
- 🪑 テーブル席 17席 全席禁煙
  予約可
- 💴 カード不可 電子マネー可
- 🔗 インスタグラム、フェイスブックあり

上）本日のカレーは、彩りの良い野菜がたくさんいただけて身体も喜ぶ一品。左下）〆パフェに人気の「チョコレートバナナパフェ」。右下）右横）扉を開けると「おかえりなさい！」と、気さくな店主が出迎えてくれます。

❸ Chus

那須の大きな食卓を囲んで

始まりは那須朝市というマルシェ。マルシェの空気をそのまま実店舗にと2015年に開店した「Chus」。マルシェ、カフェ、ゲストハウスとさまざまな使い方のできる複合店です。生産者とお客さまを繋げる役割を担う場として、地元の食材の直売所であり、カフェはそれを味わうことができる食卓。吟味されたお酒や調味料も豊富に揃います。

DATA

- 🏠 那須塩原市高砂町6-3 📞 0287-74-5156
- 🕐 [マルシェ] 10:00-17:00（土日祝 ～20:00）
  [ランチ] 11:30-14:30
  [カフェ] 11:30-17:00（土日祝～20:00）
  [ディナー] 土日祝 18:00-20:00
- 🈺 第2木曜
  （第2水曜 17:00 CLOSE ランチ14:30 L.O.）
- 🪑 テーブル席 60席 全席禁煙 予約可
- 💴 カード不可 電子マネー可
- 🔗 https://chus-nasu.com
  インスタグラム、フェイスブックあり

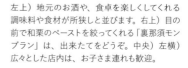

左上）地元のお酒や、食卓を楽しくしてくれる調味料や食材が所狭しと並びます。右上）目の前で和栗のペーストを絞ってくれる「裏那須モンブラン」は、出来たてをどうぞ。中央）左横）広々とした店内は、お子さま連れも歓迎。

カフェ・ド・グランボワ ❹

歴史を感じる建物で 優雅な時間を

1982年の開店から40年。そのうち13年は今のお店のほど近くで営んでいたという「カフェ・ド・グランボワ」オーナーの佐藤さん夫妻。建物は大正時代に銀行として建てられたものです。「学生の頃から来てくれていた方が大人になっても来店してくれる、そういうのがうれしいですね」と、妙子さん。ランチタイムはいつも満席、お客さまでにぎわいます。

DATA

- 🏠 那須塩原市本町5-19　☎ 0287-64-2330
- 🕐 昼 11:00-15:00（L.O.14:30）
  　夜 18:00-21:00（L.O.20:00）
- 🈳 火曜（臨時休業あり。インスタグラムをご確認ください）
- 🪑 テーブル席 17席　全席禁煙
  　予約可（平日のみ）
- 💴 カード不可　電子マネー可
- 🔗 インスタグラムあり

左上）ゆったりとくつろげるソファ席。右上）ランチセットのオムライスは、トロトロ卵の上にコクのあるデミグラスソースがたっぷり。中央）おすすめの「自家製チーズケーキ」と「グレープフルーツの緑茶」。右横）芦野石と大谷石造りの重厚な外観に歴史を感じます。

❺ Iris BREAD & COFFEE

黒磯の旅の始まりはここから

おいしいコーヒーとおいしいパンをいただく、日常の中にあるシンプルで当たり前ですが豊かなひととき。そんな豊かさを感じる時間を過ごしてもらいたい－。黒磯駅前のベーカリーショップ「KANEL BREAD」の想いをかたちにしたのが「Iris BREAD & COFFEE」です。地元のお客さまの安らぎの場でもあり、旅行者が街の情報を得ていく場としても。2022年夏には隣に同系列のピッツェリアもオープン。

DATA

- 🏠 那須塩原市本町5-2　☎ 0287-74-6877
- 🕐 水〜月曜 9:00-17:00（フードL.O.16:30）
- 🈳 火曜（不定期に水曜休みあり ※HPをご確認ください）
- 🪑 テーブル席 25席　全席禁煙　予約不可
- 💴 カード可　電子マネー可
- 🔗 https://kanelbread.jp
  　インスタグラム、
  　フェイスブックあり

上）シングルオーの豆を使用したカフェラテと、キリッと酸味のきいたレモンタルト。定番ケーキのレモンタルトはファンの多い一品。左下）右下）気取らず、センス良く、居心地の良い店内とテラス席。左横）お隣、KANEL BREADのパンもカフェでいただけます。

真岡鐵道

N

0　　　500 m

↑ 那須烏山

2 つづり食堂

121

益子中

濱田庄司記念
益子参考館

益子町役場

益子陶芸美術館

益子の森

益子駅
MASHIKO

3 自家焙煎珈琲
イチトニブンノイチ

益子の森
展望塔

4 Café
MASHIKO-BITO

COFFEE & ART SPACE
自家焙煎珈琲 $1\frac{1}{2}$

262

獨鈷山
西明寺

茶屋雨巻

OPEN

5 作坊 吃

大川戸つり堀

297

1 茶屋雨巻

← 真岡

街めぐるカフェ

益子編

MACHI MEGURU CAFE

陶器の産地として名高く、穏やかでありながらエネルギー
に溢れた美しい自然を体感できる益子エリア。器や食事か
らも土地の恵みを感じていただける個性派が揃います。

登山口に位置し、登山者たちも訪れる人気のカフェ。

🄵 茶屋雨巻

山の絶景と石窯ピッツァ

登山口に位置し、登山者たちも訪れる人気のカフェ。周りを見渡せば、山を望む絶景に心が躍ります。イタリアン出身の店主が腕を振るう看板料理は、石窯の高温で一気に焼き上げるピッツァ。生地は、ピッツァ粉、海塩、ソースに使う有機トマト缶などイタリア産の材料にこだわり、トッピングは地元の野菜や旬の魚介などで彩ります。自然を肌で感じながら、焼きたてピッツァを頬張る至福のひとときを。

DATA

- 🄰 芳賀郡益子町上大羽1234　🄣 0285-77-5354
- 🄾 11:30-15:00 (L.O.14:30)
  ※ピッツァの生地がなくなり次第終了
- 🄷 月・火曜、不定休あり
- 🄢 店内25席、ガーデン9席
  全席禁煙、喫煙場所あり
  予約可
- 🄥 カード可　電子マネー可
- 🅄 https://pizza-restaurant-amamaki.business.site/
  インスタグラム、フェイスブックあり

左上）石窯で香ばしく焼き上げるピッツァの風味は格別。右上）「石窯焼きりんご バニラアイス添え」は、人気のスイーツ。中央）いろいろな組み合わせが楽しめる「平日限定ランチセット」。写真はマルゲリータ、自家製ピクルス、前菜、サラダ、ドリンク。左横）木の温もり感のある店内。

❷ つづり食堂

心も体も喜ぶ玄米菜食

体にやさしいメニューが並ぶ自然派カフェ。木々に囲まれた古い建物が、経年のいい味を出していて、供する料理を盛り立てます。「丁寧な暮らしを一つ一つ、つづっていきたい」と、提案する料理は玄米菜食。肉や魚、卵、乳製品を使わず、玄米ご飯と野菜、豆、乾物などを、伝統的製法で造られた天然調味料で丁寧に調理し、深い滋味を出しています。かみしめるほどに健やかになれる、大地の恵みを味わって。

DATA

- 🏠 芳賀郡益子町益子4135
- ☎ 0285-70-8820
- 🕐 11:30-17:00
  （ランチタイム～14:30）
- 🈺 月・火・日曜
- 💺 14席　全席禁煙　予約可
- 💴 カード不可
- 🔗 インスタグラム、フェイスブックあり

左上）自然派志向の調味料や飲み物などの食品を、隣の建物で販売。右上）座敷スタイルの店内は、心地よく過ごせます。中央）その日の仕入れで内容が決まる「つづり定食」は、毎日食べても飽きない味わい。左横）緑に囲まれた古民家の店舗。

自家焙煎珈琲 イチトニブンノイチ ❸

コーヒーを取り巻くすべてが魅力

珈琲と文化を旗印に営む自家焙煎珈琲店。芸術家のアトリエのような雰囲気を醸し出す店内に、店主の見立てによる美術品が並びます。コーヒーは、世界各地の豆の持ち味を最大限に引き出す焙煎と抽出にこだわる、香り豊かでコクのある味わい。手作りケーキと一緒にいただくのがおすすめ。美術や文化のある空間で、記憶に残る一杯に出合いたい。

DATA

- 🏠 芳賀郡益子町益子3435-1　陶芸村内　☎ 0285-72-6123
- 🕐 平日 11:30-21:00 (L.O.20：30)
  土・日・祝日～19:00 (L.O.18:30)
- 🈺 金曜、第1・2木曜、第3・4火曜
- 💺 テーブル席 18席　全席禁煙
  ※店内撮影禁止
  お子さま連れのご利用は
  ご遠慮ください。
- 🔗 https://avantgalde1-1-2.
  jimdofree.com/

上）店内はソファ席、テーブル席、カウンター席と、雰囲気の異なるスペースで構成されています。左下）店主が国内外から集めた絵画などの美術品を鑑賞することができます。右下）コーヒーとよく合う自家製の「キャロットケーキ」。右横）陶芸村の右奥にあり、青い扉が目印。

❹ Café MASHIKO-BITO

地元愛に満ちた料理と空間

益子で生まれ育った元アスリートで、栄養士の資格を持つ店主が、「地元を盛り上げ、アスリートを応援したい」と、2011年にオープン。益子の魅力を発信し、アスリートに必要な栄養バランスを考えた料理やスイーツを考案しています。自家栽培の野菜や地元の食材を取り入れた料理、益子産の材木で建てたという店舗など、"益子愛"に満ちた一軒です。

DATA

- 🏠 芳賀郡益子町上大羽496-1
- ☎ 0285-81-3081
- 🕐 11:00-16:00　🈳 土曜、第1・3木曜
- 🪑 店内38席　テラス12席　全席禁煙（テラス席で喫煙可）
   予約可
- ¥ カード不可
- 🌐 インスタグラムあり

上）店内では登山やトレイルランニング、スカイランニングなどの、スポーツ用品も販売しています。左下）甘さを抑えた「釜レアチーズケーキ」。右下）生クリームやバター不使用の「罪悪感のないおやつ」。左横）店舗のまわりは自然豊かなロケーション。

作坊　吃 ❺
ぞーふぁんちぃ

益子焼の器に映えるアジア料理

里山の風景にマッチした隠れ家的な一軒屋カフェ。アジア各国をよく訪れていたという店主が、現地の味をベースにハーブやスパイスを効かせた、野菜たっぷりのアジア料理を提供。おすすめは、ご飯を真ん中にアジアの総菜が彩りよく盛られた「チィプレート」。このプレートのために作られた益子焼の器が、料理をいっそう引き立てます。各国の個性豊かな料理をいただき、旅する気分に。

DATA

- 🏠 芳賀郡益子町上大羽2455
- ☎ 0285-72-3606
- 🕐 11:00-18:00（L.O.17:00）
- 🈳 水・木・金曜、不定休あり
- 🪑 テーブル席 15席
   全席禁煙　予約可
- ¥ カード不可
- 🌐 https://zuofang-chi.
   jimdofree.com/
   インスタグラムあり

左上）ココナッツミルクのぜんざい「チェー」。右上）異国情緒漂う店内。中央）アジアの総菜が楽しめる野菜たっぷりの「チィプレート」。右横）自然の中に静かに佇む店舗。

テイクアウトカフェ

おいしい飲み物や食べ物を持ち帰り、おうちでのんびり。はたまた、好きな場所へ出掛けて一休み。
テイクアウトメニューの充実したカフェで、自分次第の楽しみ方を。

21

テイクアウトカフェ
〈下野市〉

und kaffee

ウント カフィ

「……とコーヒー」という名の
日常に寄りそう自家焙煎珈琲工房

上）センスのよさと地
元への思いが詰まった
珈琲豆店。左下）地
場産フルーツの自家製
ビネガーソーダも人気。
季節のシュトレンととも
に。右下）豆の特徴を
生かした焙煎が評判。

日常の一コマに一杯の
コーヒーを添えて豊かな
ひとときを。

　元々はコーヒーが飲めなかったオーナーの稲葉さん。ある日、偶然立ち寄ったカフェの自家焙煎コーヒーがおいしく飲めたことに心を動かされ、やがてその店で働くことに。自家焙煎の魅力を肌で感じるうちに、自ら焙煎したいという気持ちがどんどん大きくなっていきました。努力家の稲葉さんは焙煎について学んだり、交流会に参加したりしていたものの、最後の一歩が踏み出せず思いばかりが募る日々だったそう。そんな背中を押してくれたのは、ご主人の「まずはやってみたら」のひと言でした。自宅に焙煎機を買い、焙煎を始めたのが2017年。イベント出店などで徐々に手応えを感じ、ついに2020年5月、自宅の庭先に夫婦で手作りの小屋を建て「und kaffee」をオープンしました。

　店名は「……とコーヒー」という意味のドイツ語。「メインの何かにコーヒーをプラスすることで、癒やしの時間や日常を彩るお手伝いができたら」との思いから。自家焙煎の珈琲豆とドリンク、シュトレンなどの手作りお菓子や、焼き菓子屋さんから仕入れた焼き菓子を販売しています。

左）テイクアウトは挽きたてを丁寧にハンドドリップ。右）オリジナルブレンド豆。中深煎り「LEBEN（日常）」は飲みやすく、深煎り「PAUSE（休息）」は風味豊かに。

オーナーの稲葉和美さん

どこかにお出掛けの帰
りなど、お気軽にお立
ち寄りください。

MENU 本日の珈琲（ホットのみ）　400円／ホット珈琲 450円・アイス珈琲 500円／カフェ・ココ（夏季限定）　600円／スパイス・オレ（冬季限定）　600円／季節のビネガードリンク 500円

DATA
- （住）下野市花田89-1
- （営）木・金・土 11:00-17:00
- （席）テイクアウトのみ
- （¥）カード不可　電子マネー可（PayPayのみ）
- （JR）https://undkaffee.info/
- インスタグラムあり

ACCESS 小金井駅から南東へ約5.1km（車で約9分）

22

テイクアウトカフェ
〈下野市〉

古民家カフェ
10 picnic tables
こみんかカフェ テンピクニックテーブルス

木陰にベンチやテーブルが並ぶ気持ちの良
い広場に面して佇んでいます。

たっぷり遊んだ後に
ホッとひと息

新しくメニューに加わった「バターチキンカレー」。バターと生クリームのコクのあるマイルドな味わいが人気です。

左）幅広い年齢層に人気のスイーツ「花より団子」。右）思い思いの場所でのんびりくつろげる「夜明け前」内のイートインスペース。

　四季折々の自然が楽しめる広大な敷地の中に、古墳をはじめ貴重な史跡が点在する天平の丘公園。その美しい木立の中にある「10 picnic tables」。森林浴や史跡散策はもちろん、芝生の上でたっぷり遊んだ後にホッとひと息つける憩いの場所です。

　テイクアウトのお弁当を中心にコーヒーや人気のスイーツを揃え、2018年4月にオープンして以来、幅広い世代の人が訪れます。定番のテンピク弁当をはじめ、ドリンク付きがうれしいお子様セットのほか、お客さまのリクエストに応えながら変化してきたジャンルにとらわれないフードメニューが評判を呼んでいます。

　隣接のイートインスペースとして利用できる「夜明け前」は、江戸時代末期の古民家をリノベーションした趣のある建物。長く続く縁側や広々とした畳の部屋では「実家に帰ったみたいでなんだか落ち着く」と手足を伸ばして喜ぶ人も多いそう。のんびりくつろぐのに最適です。季節の変化を楽しみに、気の合う仲間や家族とともにピクニック気分で訪れてみませんか。

写真／店内の展示品
カラベハリエだるま
コメント／運営スタッフの仁平麻耶さん

年間を通してイベントも各種開催していますので、HPで確認の上ぜひ遊びに来てください。

MENU　バターチキンカレー　イートイン 825円・テイクアウト 810円／テンピク弁当　イートイン 935円・テイクアウト 918円／花より団子　イートイン 390円・テイクアウト 383円／お子様セット　イートイン 500円・テイクアウト 491円（Sサイズドリンク付き）／キャラメルマキアート　イートイン 600円・テイクアウト 589円

DATA
- 🏠 下野市国分寺821-1天平の丘公園　📞 0285-38-8199
- 🕐 11:00-17:00　ランチ 11:00-14:00
- 🈺 木曜・第3水曜
- 💺 60席　全席禁煙（公園内に喫煙スペースあり）予約可
- 💴 カード可　電子マネー可
- 🔗 https://www.tenpyopark.com　インスタグラム、フェイスブックあり

ACCESS　小金井駅から北西へ約3.9km（車で約7分）

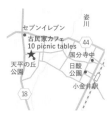

YOKOKURA STOREHOUSE

ヨコクラ ストアハウス

23 テイクアウトカフェ
小山市

PLEASE RETURN
HERE
THANK YOU

工業団地の一角にある同店。洗練された雰囲気で、開放感ある店内。

OKサインが描かれたセンスのよいロゴ。シンプルなロゴに秘められた地域への思い。

本格カフェ×絶品ラーメン
共通項は「人と人がつながる一杯」

　小山市の工場が立ち並ぶエリア、その街に溶け込むように建つスタイリッシュで無機質な建物。初見では何の店か分からない人も多いこの店、実は本格コーヒースタンドが併設された面白いラーメン店なのです。その名も「YOKOKURA STOREHOUSE」。ストアハウスとは倉庫という意味。この辺り一帯が工業団地のため、地域の色に合わせて店内のインテリアもインダストリアルな洗練された雰囲気になっています。店主の篠塚浩一さんが作り出す「昆布水つけめん」はかなりの評判で、地元のみならず県外からもファンを呼び、昼前と夕方には必ず行列ができるほど。そんなラーメンを極めるために心血を注いできた店主が、2019年11月にオープンしたこの店に本格的なコーヒースタンドを併設した理由は、丁寧にハンドドリップで淹れるコーヒーとそこから生まれる人と人とのコミュニケーションにラーメン店との共通の何かを感じ、目指しているものと合致したから。

　きっかけは、東京多摩市でCommunication & Coffeeをテーマに自家焙煎のコーヒー店「tak beans」を営む松崎さんとの出会い。コーヒーを通して人と人がつながり、地域を盛り上げ

上）店内に併設された本格的なコーヒースタンドは、カフェのみの利用OK。ラーメン帰りにテイクアウトする人も多い。左下）オリジナルブレンドの他、アフォガードやコーヒーフロートなどメニューも充実。焼き菓子もあります。右下）横倉の街をイメージしたデザイン性の高い壁面イラスト。

る取り組みや人柄に感銘を受け、同じように人と人、地域とのつながりを大切にする店をつくろうと決めたそうです。もちろんコーヒー豆は松崎さんが生豆から厳選し焙煎したこの店のオリジナルブレンド。注文を受けてから一杯一杯丁寧にハンドドリップしています。ラーメンを食べた後にもぴったりの爽やかな果実味が感じられる本格的な一杯です。

　コミュニケーションとは双方向であるもの。この店ではラーメンの食券を渡すと引換券の代わりに番号が記された木製のキューブが渡されます。番号が呼ばれたらキューブを持って自

ラーメンの券売機。無数のステッカーも味。

上）見た目にも美しい昆布水つけめん。まずは麺だけで。次に藻塩をかけて。つけタレにつけて一口。最後はタレに入れてスープ割に。左下）店内併設の製麺所。右下）工場の街に馴染む外観。

ら受け取りに。その時に厨房を垣間見ることができます。清潔に手入れされた厨房、調理に向き合うスタッフの眼差し、丁寧に美しく盛り付けられたラーメン。注文から受け取りまでの流れや店員との会話、そんな風景からもコミュニケーションを大切にする同店の工夫や思いやりが感じられます。そしてお客さまが帰る時には、店主はじめスタッフ一同きちんと顔を上げて発する「ありがとうございました」の声が響きます。

（左から）スタッフの大塚卑呂希さん、鈴木貴也さん、篠塚大介さん

ラーメンもコーヒーも一杯一杯、心を込めてご提供いたします。カフェのみのお客さまも大歓迎です。

MENU Yokokura ブレンド Hot 345円・Ice 378円／カフェラテフロート 540円／アフォガード 540円／自家製スコーン 200円～／味玉 昆布水つけめん 醤油（並）ちょい肉増し 1,200円

DATA
- 🏠 小山市横倉596-76
- ☎ 0285-37-6162
- 🕐 ランチ 11:00-14:30　ディナー 18:00-21:00
- 🈳 木曜
- 🪑 16～18席　全席禁煙　予約不可
- ¥ カード不可
- 🔗 インスタグラムあり

ACCESS 小山駅から南東へ約5.7km（車で約11分）

24
テイクアウトカフェ
〈栃木市〉

ASATTE COFFEE
アサッテ コーヒー

仁王門が安置された山門。駐車場は山門
の手前左側にあります。

寺庭の四季の移ろいを
愛でつつ嗜む
厳選コーヒーのハンドドリップ

自然の豊かさに心洗われるテラス席。憩いのひとときが過ごせます。

左）黒板からコーヒーをセレクト。アーティスティックな雰囲気の店内。右）山門入ってすぐ、右手側の階段上にカフェが見えます。

真言宗「光明寺」の境内にある、蔵を改装した小粋なカフェ。カフェを営むのは、結婚を機に、光明寺と縁が生まれたという店主の加茂千恵子さん。那須の有名カフェで学んだことを生かし、こだわりの一杯を提供します。使用する豆は、全国各地の焙煎所から取り寄せた厳選品。季節により品質のいい豆が採取できる生産地が異なるため、豆の種類はその時々で変えるそう。カフェオレにはイギリスの有機オーツミルクを使用するなど、コーヒーをおいしく楽しむためのものを集めてお客さまをもてなします。

店内には、アーティストとして活躍するご主人の絵画も販売。不定期でゲストを招き、ミュージックライブも開催され、コーヒーを堪能しながらライブを鑑賞できます。また、寺院では、朝ヨガや写経などの心身を整えるイベントも。終了後にふらりとカフェに立ち寄って、テイクアウトして帰路につく方も多いとか。

晴れた日には木陰のテラス席で花木を愛でながら、ほっとひと息。四季折々で移り変わる景色に癒やされながら嗜む一杯は、きっと格別です。

店主の加茂千恵子さん

自然の中に、ちょっとひと息つきに来てくださいね。お気に入りのコーヒーに出会っていただけるとうれしいです。

MENU Drip Coffee 400円〜／Espresso 400円〜／チョコレートミルク 400円〜／カスカラソーダ 400円／オーガニックティー 400円〜

DATA
- (住) 栃木市都賀町家中2726
- (TEL) 080-1268-0217
- (営) 11:00-17:00（L.O.16:30）
- (休) 不定休（SNSにて月末に翌月の月間スケジュールをお知らせ）
- (席) 15席　テラス席は喫煙可　予約不可
- (¥) 電子マネー可
- (URL) インスタグラム、フェイスブックあり

ACCESS 家中駅から東へ約1.6km（車で約3分）

25

テイクアウトカフェ
〈佐野市〉

自家焙煎
福伝珈琲店

じかばいせん ふくでんこーひーてん

コーヒーのふくよかな味と香りで
至福の時のお手伝い

上）挽きたての香りに
癒やされる店内。奥の
焙煎室には緑色の焙
煎機。左下）香り豊か
な至福の一杯。ドリン
クはテイクアウトのみ。
右下）アフォガード。
甘味と苦味の調和が絶
品。

看板のフクロウはまるで街ゆく人を見守っているかのよう。

店主の福田重富さんは子どもの頃からコーヒーの風味が好きで、コーヒー牛乳を好んで飲む少年でした。以来、ずっとコーヒー好きだったものの仕事にするまでには至らず、実家が営む電気関係の仕事に勤しむ毎日。しかし、カフェや焙煎には変わらず興味を持ち続けており、そんな様子を感じ取っていたのか、ある時母親から言われたのが「好きなことをやりなさい」の一言。それを機に思い切って父親に相談したところ、反対されると思いきや「やってみたら」と逆に背中を押され、大きく舵を切ることにしました。仕事を続けながら焙煎の勉強に励み、必要な資格を取得。特に苦労したのはスペシャルティコーヒーの品質を見極めることができる「Qグレーダー」と呼ばれる国際資格でした。味や香りのわずかな違いを感じ取る訓練を毎日続けたそうです。2010年に実家の離れに焙煎機を置き自家焙煎を本格的に開始。準備期間を経て、ついに2014年、焙煎室併設の「福伝珈琲店」を開店しました。

商社に勤める仲間からサンプルローストを頼まれるほど確かな技術の持ち主の福田さんですが、その物腰はやわらかで温かい人柄がにじみ出ています。「皆さまの至福の時間のお手伝いができたらうれしいです」と控えめに語ります。

左）照明の光までもやさしく温かい福伝珈琲店。右）自家焙煎珈琲豆。オリジナル「佐野ブレンド」「天明」の他、各産地のシングルオリジン、月替わりの珈琲豆など多種多様。

店主の福田重富さん

真心を込めて丁寧に焙煎しています。癒やしのコーヒーとしてお使いいただけたら幸いです。

MENU ホットコーヒー（佐野ブレンド）M650円 L750円／アイスコーヒー（深めなブレンド）600円／エスプレッソ（ダブルショット）500円／アフォガード M500円 L780円／自家焙煎珈琲豆（佐野ブレンド）100g 864円

DATA
- 🏠 佐野市本町2761-2
- ☎ 0283-85-8629
- 🕐 火～土10:00-18:00
  第2・4・5日曜11:00-17:00
- 🈺 月曜、第1・3日曜
- 🚬 テイクアウトのみ 店内禁煙
- 💴 カード不可
- 🔗 https://fukudencoffeeten.com/
  インスタグラムあり

ACCESS 佐野駅南口から南西へ約700m（徒歩で約9分）

おやつカフェ

おやつの時間は幸せのひととき。おいしいスイーツは心を和ませてくれます。日々のささやかなお楽しみ気分を盛り上げてくれるカフェ10軒をご紹介します。

ISLAND STONE
COFFEE ROASTERS

アイランドストーン コーヒーロースターズ

石の町にリズムを刻む
焙煎機の軽快な音とコーヒーの香り

　数々の映画やアーティストのPVの撮影に使われ話題となった「巨大地下空間・採掘場跡地」や「陸の松島」と称される奇岩群が点在する大谷の町の中心に立つ「ISLAND STONE COFFEE ROASTERS」。築70年の建物をリノベーションした明るく開放的な店内にコーヒーロースタリーとボタニカルショップを融合する新感覚のスタイリッシュなカフェとして、2020年3月に誕生しました。

　色鮮やかな花々が出迎えるエントランス。その先には窓越しに迫る大谷石の岩肌を背景に多種多様なグリーンが並び、コントラストの効いた爽やかな美しさが目を引きます。大谷石を使った手頃な価格の花器やドライフラワーのブーケなども揃い、暮らしにちょっとしたアクセントを添えるヒントを提案しています。

　焙煎機の軽快な音とコーヒーの芳しい香りに誘われながら店内に進めば、世界各国のコーヒー産地から集めたフレッシュで個性豊かな豆がずらりと並びます。それぞれの豆の特徴が書かれたプレートを参考に気になる豆を見つけたら試飲できるのもうれしいポイント。焙煎の度合い一つで味わいが変化するコーヒー。

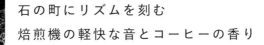

上）右下）緑の山肌に映える白い外観。大きなガラス窓と焙煎機から2階の屋根まで真っすぐ伸びる煙突が印象的。左下）スイーツ好きを魅了する「季節のヴェリーヌ」。旬のフルーツやジュレ、ムースが何層にも重なる美しさと一口ごとに変化する華やかな味わいの最高のマリアージュが楽しめます。コーヒーとのペアリングもぜひ楽しんでみたい一品です。

瑞々しい生花やグリーンとともにやさしい色合いのドライフラワーが並ぶボタニカルショップエリア。スワッグやブーケの他、センスの良い花器も揃い、自分へのちょっとしたご褒美やプレゼント選びにも最適な空間です。お気に入りのコーヒーに花を添えて贈るのもすてきです。

左上）大谷の風景が描かれたラベルと浅煎り、中煎り、深煎りに色分けされているパッケージが印象的。右上）プレーンと季節限定が揃うカヌレ。下）バリスタが丁寧に入れるハンドドリップの他、ダーク（深煎り）とライト（浅煎り）が選べるラテやカプチーノも人気。

豆を選ぶのに迷った時には焙煎士やバリスタのアドバイスに耳を傾けてみてはいかが。フレッシュで高品質な豆ならではの、浅煎りの瑞々しい甘さとフルーティーな透明感もおすすめだそう。コーヒーとスイーツの最適なペアリングアドバイスも興味深く、お気に入りのコーヒーとの出合いが楽しめそうです。

スイーツは宇都宮で人気の洋菓子店「Keica」監修の焼き菓子や生菓子が揃います。旬のフルーツを組み合わせ、何層もの華やかな味わいが次々と楽しめるヴェリーヌをはじめ、カヌレなど季節限定のオリジナルスイーツが評判です。2階のカフェスペースは、大きな窓からのどかな町の風景が見渡せ、のんびり

店のシンボルの焙煎機はオランダ製「GIESEN」。

上）木のぬくもりと大窓から見渡せるのどかな風景に癒やされる2階のイートインスペース。吹き抜けから聞こえてくる焙煎機の軽快な音も心地よく感じられます。左下）世代を超えて人気が高い甘さ控えめのあんバタートースト。右下）各種揃うギフトセットも人気です。

ほっとできる空間となっています。

「大谷は日本屈指の採石産業を誇る石の町でした。今も、美しい自然とともに人の力が作り上げた不思議な景観がいくつも点在しています。ぜひ、のんびり歩いてみてください。歩くことで見つかる風景や発見も多いはず。かつて駅があった町の中心でおいしいコーヒーとスイーツを用意して待っています」。

店長の焙煎士・阿部寛史さん

自然豊かなロケーションで味わう季節のスイーツや自家焙煎コーヒーをお楽しみください。

MENU　季節限定ヴェリーヌ 1,100円／カヌレ・ド・ボルドー テイクアウト 324円・イートイン 330円／あんバタートースト テイクアウト 594円・イートイン 605円／ラテ（ラテアート付き）テイクアウト 540円・イートイン 550円／本日のコーヒー テイクアウト 378円・イートイン 385円

DATA
- （住）宇都宮市大谷町1172
- （TEL）028-688-0467
- （営）10:00-17:00
- （休）金曜
- （席）20席　他テラス席あり（ペット同伴可）
　　全席禁煙（テラス席のみ喫煙可）
　　予約不可
- （¥）カード可　電子マネー可
- （URL）https://iscr.jp
　　インスタグラム、フェイスブックあり

ACCESS　東武宇都宮駅から北西へ約7.6km（車で約20分）

27

おやつカフェ
〈宇都宮市〉

BROWN SUGAR ESPRESSO COFFEE

ブラウンシュガー エスプレッソコーヒー

本格的なエスプレッソコーヒーを味わえる
ランドリー併設のカフェ

左上）ブラウンシュガー＆バナナトーストとショートラテ。コクのある苦味が特徴のラテはスイーツとの相性も抜群です。右上）トーストメニュー以外、すべてテイクアウト可能。下）白を基調とした明るく開放的な店内。

オーナーの大野淳也さん

ランドリーを利用しなくても、カフェだけのご利用でも大丈夫です。お気軽にどうぞ。

左）エスプレッソの苦味とミルクの甘みとのバランスが絶妙なラテ。ラテアートも美しい。右）アメリカンな雰囲気が漂うランドリーコーナー。

　「ダークチョコレートのようなエスプレッソを出すことがこだわり」と話すオーナーの大野淳也さん。元々、趣味として楽しんでいたコーヒーを仕事にしようと決意したのは、下北沢の「BEAR POND ESPRESSO」で出会った一杯のエスプレッソコーヒーのおいしさに衝撃を受けたことがきっかけでした。その後さまざまな縁がつながり、県内のカフェで修業を経た上で独立。2020年4月に住宅街にあるコインランドリー「LAUNDRY COFFEE宝木町」内に「BROWN SUGAR ESPRESSO COFFEE」をオープンさせました。

　本格的なエスプレッソコーヒーやラテ、トーストや焼き菓子が気軽に楽しめるカフェとして、コインランドリーの待ち時間に利用する方だけでなく、大野さんとの会話を楽しみに定期的に通う常連さんやテイクアウトのお客さまも多く、この街にとってなくてはならない存在になっています。

　「いずれは海外でバリスタをやりたい」という大野さん。一杯のエスプレッソコーヒーとの出会いから始まったストーリーは、きっとこれからもこの街から縁を紡ぎ、さらにいつかは海外まで広がっていくかもしれません。

シンプルでスタイリッシュな外観。建物左側がカフェ、右側がコインランドリー。

MENU　ラテ（ホット・アイス）550円／アメリカーノ（ホット・アイス）495円／シングルオリジン（ホット）550円／ブラウンシュガー＆バナナトースト495円／スコーン（プレーン、チョコレート）280円

DATA
- 住 宇都宮市宝木町1-55-1 LAUNDRY COFFEE宝木町店内
- 電 090-6300-1273
- 営 火・水・木・土・日8:00-18:00　金12:00-18:00
- 休 月曜
- 席 12席　全席禁煙　予約可
- ¥ カード・電子マネー可
- URL インスタグラムあり

ACCESS　東武宇都宮駅から北西へ約3.7km（車で約9分）

28

おやつカフェ
〈宇都宮市〉

MOON DOGG
espresso roasters

ムーンドッグ エスプレッソロースターズ

上）アイコニックなデザインが魅力的な焙煎機「PROBAT」。左下）MOONDOGG No.1 フラッグシップコーヒーのラテ。右下）レトロクールな古民家カフェ。

世界中のロースターに愛される焙煎機と
バリスタの探求心が導く、ここでしか飲めないコーヒー

オーナーの鈴木敏和さん
とさとこさん夫妻

左）国産小麦と那須御養卵、バター、自然糖を使用した、しっとりサクサクのスコーン。右）店内右手レジで注文、前会計のセルフサービススタイル。

スパイシー＆ソルティ＆ダークチョコレートを感じるMOON DOGGエスプレッソブレンド。Single originの豆はチョコレート＆フルティーにローストしています。コーヒーのテイクアウトはもちろんコーヒー豆も購入できます。

　古着屋やライブハウスなどハイセンスなお店が建ち並ぶユニオン通りの一角に佇む「MOON DOGG espresso roasters」は、世界最高峰のドイツ製焙煎機「PROBAT」で焙煎されたスペシャルティコーヒーを提供するお店です。一番人気の「アイスラテ＆ホットラテ」は抽出方法が独特でネイキッドポルタフィルターとトリプルバスケットという器具を使用することにより、ダークチョコレートのような密度の濃いエスプレッソと、ミルクが織り成す2層のコントラストは芸術的で美しくまさに珠玉の味わいです。

　「おいしさを保つために溶けにくい手割りの氷を使用し、より香りが楽しめるようストローを使わずに飲んでいただいております」とオーナーバリスタの鈴木敏和さん。ダークチョコレートをテーマにローストされたエスプレッソブレンド＆シングルオリジンのコーヒー豆も各店内で販売もしています。またおいしいコーヒーとは何か？ を知ってもらうために、世界のコーヒーカルチャーを描いたアメリカのドキュメンタリー映画「A FILM ABOUT COFFEE」の上映会を開催するなど、コーヒー業界の底上げにも力を注いでいます。

一口目は混ぜずに楽しみたい、美しい2層のアイスラテ。

MENU HOT LATTE イートイン 506円・テイクアウト 497円／ICE LATTE イートイン 528円・テイクアウト 518円／TOP LATTE イートイン 715円・テイクアウト 702円／Single origin イートイン 506円・テイクアウト 497円／Golden Bat(ブレンド豆) 200g 1,350円

DATA
- 住 宇都宮市伝馬町2-19
- TEL 028-634-8160
- 営 12:00-18:00 (L.O.17:30)
- 休 火・水曜 (祝日の場合は営業)
- 席 テーブル席4席 カウンター席6席　全席禁煙　予約不可
- ¥ カード不可　電子マネー不可
- URL https://moondogg.site
　　インスタグラム、フェイスブックあり

ACCESS 東武宇都宮駅から北西へ約300m (徒歩で約4分)

29
おやつカフェ
〈宇都宮市〉

Double.e.Coffee &Espresso

ダブルイーコーヒーアンドエスプレッソ

選び抜かれた豆がいざなう
香り豊かな最高の一杯

上）スコーンの焼き上が
る時間帯には甘く香ば
しい香りに包まれる店
内。左下）うそがつけな
い道具といわれるフレン
チプレス。右下）満足感
が得られるようサイズア
ップされたプリン。

絶妙な塩味と追いバターの贅沢な香りをまとうバターソルトスコーン。

　東武宇都宮線「西川田駅」から少し歩くと、真っ白な壁とロゴサインの入った大きな窓が印象的なコーヒースタンドが現れます。提供されるのは浅煎りをメインとしたスペシャルティコーヒー。「キャラクターが立っているので、個性を楽しむのに最適です。トップグレードの豆を、ダイレクトに味が楽しめるフレンチプレスで」と話す代表の大貫聡さん。2021年末の移転に伴い、エスプレッソマシーンを導入。店名も新たに次のステージへと歩み始めました。「テイクアウトを希望する時間に余裕がない方にも、スピード感のある提供が可能になりました。おいしいコーヒーを飲むことが自然な文化、主役としてのコーヒーを浸透させたいと思っています」。

　コーヒーのお供としてメニューに並ぶのは、クオリティーの高いプリンやスコーン。「牛乳や卵、生クリームのバランスにこだわった、懐かしさを感じてもらえるオーソドックスなプリンです。発酵バターを使ったスコーンは香りと食感が良く、自然な甘さとほんのりとした塩味が楽しめます」。

左）マスカルポーネチーズとたっぷりのエスプレッソを使ったティラミス。右）スタイリッシュなコーヒースタンド。

代表の大貫聡さん

コーヒーの香りを感じながら、窓の外をぼんやりと眺めるような使い方をしてもらえたらうれしいです。

MENU　コーヒー（フレンチプレス）550円〜／アメリカーノ　520円〜／カフェラテ　570円〜／プリン　500円／スコーン　320円

DATA
🏠 宇都宮市西川田5-20-3
🕐 火・水・木12:00-19:00(L.O.18:30)
　　金・土・日12:00-20:30(L.O.19:45)
🛌 月曜（祝日の場合は営業）
🪑 テーブル席12席　全席禁煙　予約不可
💴 カード可　電子マネー可
🔗 https://double-e-coffee.localinfo.jp
　　インスタグラム、フェイスブックあり

ACCESS　西川田駅から南東へ約180ｍ（徒歩で約2分）

30
おやつカフェ
〈大田原市〉

wabisuke

ワビスケ

オーナーの世界観と
珈琲への愛が詰まったお店

上）おしゃれな古民家
風の外観がひと際目立
つコーヒーのお店です。
左下）茶色を基調とし
た店内は、落ち着きの
ある雰囲気が魅力的で
す。右下）当時読んで
いた小説からインスピ
レーションを受けて名
付けたドリップコーヒー
「旅のヒト」。

淡い香りや甘味が感じられる「カプチーノ」。

　大田原市街地にある、古風な雰囲気漂う一軒のお店。それが、オーナー・湯田健司さんのこだわりが詰まったコーヒーを楽しめる「wabisuke」です。趣味のキャンプ中にコーヒーを自分で淹れることの面白さに目覚め、おいしいコーヒーを提供したいと脱サラ。2019年4月のオープン当初から変わらないのは、業界内でも珍しい焙煎前にコーヒー豆を洗う「プレウォッシュド」という工程を入れていること。透明感のある口当たりとコーヒー本来の香りや甘みを引き出し、種類ごとに味の違いも感じられるといいます。

　こだわりはインテリアにも。「シンプルで古いものが好きなんです」という言葉のとおり、茶色を基調とした店内には、アンティークのシャンデリアや自分でリメイクしたスピーカーを設置するなど、その世界観が広がります。店名も当時読んでいた小説にあったツバキ科の花・侘助から。控え目や静かな趣という花言葉が似合う湯田さんの、心がこもったコーヒーを飲みに訪れてみてはいかがでしょう。

左）厚みのあるコクとビターな風味を楽しめる「エスプレッソ」。　右）待つ時間も目の前でコーヒーの香りを楽しめます。

オーナーの湯田健司さん

専門店のようにかしこまったルールはありません。その日の気分で飲みたいと感じたコーヒーを自由に飲み、リラックスして過ごしていただけたらうれしいです。

MENU　旅のヒト（ドリップコーヒー・HOT）　500円／エスプレッソ 300円／カプチーノ 550円／エスプレッソトニック（アイス）　600円※販売期間4月〜10月／アフォガード アル カッフェ 600円

DATA
　住 大田原市本町1-2691
　TEL 050-3579-0221
　営 水〜金・日 10:00-18:00
　　　土 12:00-21:00
　休 月、火曜
　席 カウンター席 15席　予約不可
　¥ カード可　電子マネー可
　URL https://coffee-tukasa-yudaya.com
　　　インスタグラム、フェイスブックあり

ACCESS　西那須野駅から南東へ約3km（車で約6分）

31
おやつカフェ
《那須町》

森林ノ牧場

じんりんのぼくじょう

放牧地の入り口、見上げるほどの木々に囲まれた気持ちの良い場所に立つカフェ。

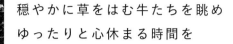

穏やかに草をはむ牛たちを眺め
ゆったりと心休まる時間を

　栃木県と福島県の県境、那須町の端に位置する「森林ノ牧場」。交通量の多い県道から脇道に入り奥へ進んでいくと、木々に囲まれた牧場が現れます。ジャージー牛を放し飼いにしている広大な放牧地の手前には、木で作られたシンプルで居心地の良いカフェがあり、テラス席では鳥のさえずりや風が木の葉を揺らす音を聞きながらゆったりとした時間を過ごせます。

　休日には搾りたての牛乳やソフトクリームなどを楽しむたくさんの人でにぎわっていて、ランチタイムには、数量限定でミートソースパスタやビーフシチューのプレートもいただけます。カフェの奥には搾乳のための小屋、ヨーグルトやバターの加工場を併設。牛乳やオリジナル商品の「搾るヨーグルト」にアイスクリーム、バターやチーズ、ミートソースなどの加工品を購入することができます。放し飼いで育てられた牛のミルクは、季節ごとに味わいが違うのだそう。季節によって放牧地の草の成分も変わり、牛が水を飲む量も違う。季節ごとの味わいの違いを意識してみるのも面白そうです。

　牧場では放牧地のすぐ近くまでお客さまが自由に見学に行けるようになっています。牛は朝夕2回の搾乳の時間以外は放牧

つぶらな瞳と茶色の体、小柄で人懐こいジャージー牛。

左上）搾りたてのジャージー牛のミルクと、オリジナルの甘酸っぱい乳飲料キスミル。 右上）放牧地の手前には子牛と触れ合えるスペースも。 下）木材を基調にしたシンプルで解放感のある店内。

地で過ごします。見学のおすすめは午前中。朝の搾乳が終わった後、牛は放牧地に向かいます。タイミングが合えば、見学者の道のすぐ横を通る牛たちの群れと一緒に並んで歩くことができるのだそう。森林ノ牧場の牛たちには1頭1頭に名前が付けられていて、牛は名前で呼ばれています。子牛にはお客さんも触れることができ、訪れる人たちに名前を呼んでもらいながらなでられているほほ笑ましい光景も。

「こうやってお客さまに一緒に牛を育ててもらっているんです」と、カフェ店長の遠藤さん。「毎日見ても、毎日かわいい」

搾りたてミルクから作られる発酵バターは香り高く味わい深い。

上）ランチタイムにいただけるビーフシチューのプレートランチ。乳牛としての役目を終えた牛に感謝しながらいただきます。左下）ソフトクリームとヨーグルトは、牧場の人気商品。ソフトクリームは濃厚ながら後口のすっきりとした味わい。右下）チーズ職人が伝統製法で作ったカチョカバロ。加熱していただくのがおすすめ。

そう話す遠藤さん自身も、ここへ来て働くうちに、自然や動物のことがこんなに好きだったのかと新しい自分に気付く日々なのだそう。ゆったりとした空気の流れる牧場とカフェで、日常から離れのんびりした時間を過ごしていってもらいたい、そんな温かな気持ちの溢れる場所です。

写真／牛のユリアン
コメント／オーナーの山川将弘さん・カフェ店長の遠藤千恵さん

自然を感じて深呼吸しに来てください。牛たちが待っています。

MENU　ジャージー牛乳のソフトクリーム 500円／ヨーグルトシェイク 650円／白いクリームソーダ 650円／コーヒーフロート 650円／グラス牛乳 300円

DATA
㊟ 那須郡那須町大字豊原乙627-114
☎ 0287-77-1340
㊗ 金～水 カフェ 10:00-16:00
　　　　ランチタイム 11:00-14:00
㊡ 木曜（祝日の場合は営業）
　 冬季長期休業あり
㊙ テーブル席 40席（テラス席含む）
　 全席禁煙 予約不可
¥ カード可
㉑ https://www.shinrinno.jp
　 インスタグラム、フェイスブックあり

ACCESS　豊原駅から北へ約7.5km（車で約10分）

先代から受け継ぐコーヒーと
やさしい味わいの
ホットケーキ

32

おやつカフェ
〈足利市〉

モカ直火焙煎
コーヒー店

モカじかびばいせんコーヒーてん

上）外はサクッと中は
ふっくらと焼き上げられ
たホットケーキ。自家製
シュガーシロップの軽や
かさがコーヒーの味わい
をさらに引き立てます。
左下）レトロな雰囲気に
心が安らぐ店内。右下）
日替わりケーキ「アーモ
ンドカスタードタルト」。

先代の描いたほのぼのとした字体が目を引くトレードマークの赤い看板。

繊維の町として活気づく足利で1974年に創業した「モカ直火焙煎コーヒー店」。半世紀にわたり地元で愛され続ける老舗喫茶店です。

店の真髄といえるコーヒーの特徴は、直火焙煎とダブルハンドピックが生み出す澄んだ香りとスッキリとした味わい。「創業当初、父がコーヒーの味見を繰り返す中で胃を悪くしたことをきっかけに、自分で焙煎を始め、良い豆だけを使い、"体にやさしいコーヒー"を目指したことが発端」。そう話すのは2代目の堀越敬介さんと弟の大介さん。敬介さんは豆の個性（香り・コク・甘味）を最大限に引き出す直火焙煎を、大介さんは焙煎前後に手作業で悪い豆を一粒ずつ取り除くダブルハンドピックを引き継ぎ、先代のコーヒーを大切に守り続けています。

特に8種類の自家焙煎オリジナルブレンドは、豆の特徴を生かした複雑で深い味わいが評判です。好みのブレンドの挽き売りを求めて定期的に通われる常連さんも多いそう。さらに素材を吟味して作るホットケーキも人気の一品。コーヒーを引き立てる控えめなやさしい味わいに、ホッと心が和みます。

左）よりクリアで複雑な味わいを再現するために丁寧にダブルハンドピックを行う弟の大介さん。右）焙煎機からの香ばしい香りと窓辺に四季折々の彩りを添えるブドウのツタが目印。

オーナーの堀越敬介さん（右）と弟の大介さん

常連さんに育ててもらったこの店で、いつまでも"体にやさしいコーヒー"を守り続けていきたいですね。

MENU　8種のオリジナルブレンド 480円〜700円／ホットケーキ 550円／アイスコーヒー 600円（水出し）／〈豆（挽き売り）〉 モカブレンド 100g 600円他

DATA
- （住）足利市伊勢町3-9-9
- （TEL）0284-42-9608
- （営）9:00-18:00
- （休）木曜
- （席）テーブル席 12席　カウンター席 6席
- （¥）カード不可、電子マネー可（PayPayのみ）
- （URL）インスタグラム、ツイッターあり

ACCESS　足利駅北口から北へ約400m（徒歩で約5分）

33

おやつカフェ
〈宇都宮市〉

自家焙煎珈琲
かめとかめ

じかばいせんこーひー かめとかめ

三角屋根と青い看板が目印
地域に根付いた
街のコーヒー屋さん

店内では作家さんの作品も展示
販売しています。

丁寧にハンドピックされたスッキリとしたコーヒーとあんバタートースト。

左）爽やかなブルーのタイルが映えると人気のカウンター席。右）コーヒーとともに楽しみたい、発酵バターを使った香り豊かなサクサクふわふわスコーン。

「ウサギとカメのように競争するのではなく、カメとカメのようにコーヒーを飲みながら、ゆっくりとした時間を過ごしてほしい」と話す店主の亀和田道子さん。「川が近くにあるので、散歩がてらに寄ってもらえたら。大通りから少し入った場所にあるので、隠れ家的にでも」とやさしくほほ笑みます。その人柄に惹かれ、取り巻く環境の違うさまざまな人たちが店内に集い、それぞれの楽しみ方で憩いのひとときを過ごしています。

「豆を売る店なので、店内で飲んでいただいて、いろいろな味を試していただきたいです。コーヒーのおいしさを知ってもらいたい」と一杯一杯のコーヒーと丁寧に向き合います。アイスコーヒーも作り置きせず、マンデリンを100％と贅沢に使用。スッキリとしたおいしさです。

岡山県から取り寄せる2種類の無添加食パン。国産小麦を使った天然酵母の全粒粉入り食パンで提供される、あんバタートーストは絶品です。最強のトースター、バルミューダとアラジンの2種を使い分け、耳までサクサクの食感が楽しめます。

店主の亀和田道子さん

おいしいコーヒーとパンやおやつ。最高の癒やしの時間を過ごしていただき、またあのお店に行きたい！と思ってほしいです。

MENU　ドリップコーヒー 500円／アイスコーヒー 550円／あんバタートースト 550円
　　　　　ハニートースト 650円／スコーン（プレーン2個）600円

DATA
- 住　宇都宮市錦 3-1-7
- TEL　028-611-3976
- 営　10:30-17:00（L.O.16:30）
- 休　火・金曜
- 席　8席（テーブル、カウンターあり）
　　　全席禁煙　予約不可
- ¥　カード、電子マネー可
- URL　https://kametokame.theshop.jp
　　　インスタグラム、フェイスブックあり

ACCESS　宇都宮駅から北へ約2.6km（車で約8分）

自家焙煎の新鮮なコーヒー豆を購入できます。

英国大使館シェフ監修スコーンを
美しい眺望と味わう
優雅なひととき

上）天候が良く、暖か
い日は窓が開け放たれ
る広縁。左下）英国
大使館から譲り受けた
調度品が配された優雅
な店内。右下）淡いブ
ルーが美しいお皿は英
国バーレイ社製。

34

おやつカフェ
〈日光市〉

英国大使館別荘記念公園

ティールーム 南4番 Classic

えいこくたいしかんべっそうきねんこうえん
ティールーム みなみよんばんクラシック

遊覧船が間近に通り過ぎていくティールームからの美しい眺望。

中禅寺湖に臨み佇む旧英国大使館別荘。中禅寺湖畔がかつて国際的な避暑地としてにぎわっていた頃、1896(明治29)年に英国外交官アーネスト・サトウ氏の個人別荘として建てられました。

その後、長く英国大使館別荘として利用されていた建物を復元、一般公開しています。館内では、サトウ氏の生涯や奥日光の自然、英国文化について展示・紹介。2階の一画にあるのが、中禅寺金谷ホテルが運営するティールーム「南4番Classic」です。

おすすめは、県産小麦、那須の牛乳を使い、毎朝、館内の厨房で生地から丁寧に手作りするオリジナルのスコーン。駐日英国大使館シェフ監修のレシピに、中禅寺金谷ホテル料理長がアレンジを加え、大使館の了承を得て焼き上げています。「紅葉の季節はもちろんですが、エゾハルゼミの鳴く新緑の頃、真夏でも30℃を超えることのない爽やかな奥日光に、ぜひお出掛けください」と、ティールーム店長の福田友香子さん。英国製の美しい食器で提供されるスコーン、香り高い英国ニュービー社の紅茶を味わう優雅なひとときを過ごせます。

左)右)中禅寺湖畔に佇む旧英国大使館別荘。国際的な避暑地だった頃に思いを馳せて優雅なひとときを。

店長の福田友香子さん(右)と調理担当の齋藤咲さん

素晴らしい景色を眺めながら、毎日丁寧に手作りしているスコーン、紅茶とともに非日常をご堪能ください。

MENU オリジナルスコーン(2個) 1,100円　紅茶(ポット)セット 1,530円／オリジナルスコーンとクッキー盛り合わせ 1,430円　紅茶(ポット)セット 1,940円／アイスティー 880円

DATA
- (住) 日光市中宮祠2482
- (TEL) 0288-55-0880(日光自然博物館 直通)
- (営) 5～10月 10:00-16:30(L.O.15:30)
  4月・11月 10:00-15:30(L.O.14:30)
- (休) 5～11月 無休　4月 月曜定休
  ※12月～翌年3月は冬期休館。記念公園に準ずる
- (席) テーブル席 16席　全館禁煙　予約不可
- (¥) カード不可
- (URL) https://www.nikko-nsm.co.jp/british.html

男体山　華厳滝　清滝IC　中禅寺湖　250　122
英国大使館別荘記念公園
ティールーム 南4番Classic

ACCESS 清滝ICから西へ約16km(車で約25分)

35

おやつカフェ
〈鹿沼市〉

蒔時

まきどき

左）アンティークのインテリアが配された心安らぐ空間が日常を忘れさせてくれます。右上）「季節のデザート」は、フルーツの産地と生産者の名前も添えられる黒板メニューから選んで。右下）「蒔時」と同じ建物にあるパン屋さん「一本杉農園」。

日々移り変わる畑の景色をお皿に。
季節の恵みで彩るデザートに

　農園を営みながら、栃木県産小麦や自家栽培の素材などを使用して、園主の福田大樹さんが丁寧に焼き上げるパン屋さん「一本杉農園」。「日常が少しずつ豊かになりますように」との想いのこもった体にやさしいパンと一緒に、農園の無農薬、無化学肥料による野菜も並びます。「採れたての野菜、焼きたてのパンを畑の景色とともに味わい、畑を身近に感じてもらいたい」──。そうした福田さんの想いに、自らのカフェを開きたい、という夢を描いてきた奥さまの茜さんが加わり、2017年にオープンしたカフェが「蒔時」です。

　ランチに味わえるのは「畑のサンドイッチプレート」。季節や天候など、状態によって日々表情を変える"畑の景色"を一皿に表現。2種類から選んだ具材を、一本杉農園の6種類から選んだパンで挟むサンドイッチをメインに、窓の外に広がる畑で採れた15品目前後の野菜によるデリやサラダが盛り付けられます。初夏のある日のプレートには、これから大きくなるニンジンや、赤大根や黒大根など根菜類、カーボロネロやレタスなどの葉もの野菜の他、大根の花が終わり、小さな実（サヤ）をつける「サヤ大根」も添えられていました。みずみずしくてピリ

「蒔時」入り口の初夏の風景。軒下につるされている
のは、農園で収穫し乾燥中の小麦「ゆめかおり」の
穂です。「蒔時」店舗西側（写真奥）、テラス席の目の
前には無農薬、無化学肥料で栽培する「一本杉農園」
の畑が広がっています。営業中に野菜が足りなくなっ
て摘んでくる……なんてこともよくあるのだそう。

左上）農園の風景に馴染む「蒔時」のアンティークの扉。左下）県産小麦を使い焼き上げる「一本杉農園」のパン。
右）「畑のサンドイッチプレート」と宇和島産レモンを使用した「季節のシロップソーダ」。

リと大根の味がする「サヤ大根」は、福田さんが日々作物と向き合う畑がすぐ目の前にある「蒔時」ならではの一品です。

　そして、折々に旬を迎える"季節の恵み"を生かし、できるだけ無添加の素材を選び、茜さんが手作りするデザートも大人気です。「パンや料理と同様、果物など素材の"作り手の顔が見える"のも季節のデザートの魅力です」と茜さん。県内外の生産者から届く無農薬や減農薬の果物が、ケーキやクープ、スープ仕立てなど、見た目にもうっとりなデザートやドリンクとして提供されます。

お店の雰囲気にぴったりな入り口の看板。

上）オープンキッチンのある店内。アイアン作家さんによるテーブルセットもすてきです。左下）薬剤不使用で栽培したバラの砂糖漬けとベリーのグラスデザート「バラとラズベリーのクープ」。初夏の頃限定です。右下）テラス席の目の前に広がる「一本杉農園」の畑。

　畑とパンへの福田さんの想いや最新情報は「一本杉農園」の、料理やスイーツへの茜さんの想いやエピソードは「蒔時」のそれぞれのSNSにつづられています。日々移ろう畑の景色をお皿の上と、実際に窓の外に広がる風景とともに楽しめる「蒔時」へ、ぜひ足を運んでみてはいかがでしょうか。

オーナーの福田大樹さんと茜さん夫妻

"畑と向き合い味わうカフェ"に、季節の畑の恵みを楽しみにいらしてください。

MENU　［ランチ］畑のサンドイッチプレート 1,000円／［季節のデザート］ブルーベリーのタルト 600円／バラとラズベリーのクープ 750円／いちごのスープとババロア 500円／［ドリンク］季節のシロップソーダ 550円

DATA
- 🏠 鹿沼市西沢町380-2　一本杉農園内
- 📞 080-3453-1205
- 🕐 木・金・土曜 11:30-17:00 (L.O.16:00)
- 🚫 日～水曜
- 🪑 テーブル席 12席　テラス席 4席
　　全席禁煙　予約可
- ¥ カード可
- 🔗 インスタグラムあり

ACCESS　桜山駅から南西へ約3.9km（車で約6分）

取材執筆／海藤 和恵　笠井 峰子　田中 典子　中谷 咲子
　　　　　野川 博己　野中 典子　古川 カオリ　三上 美保子
　　　　　三輪 英里子　山野井 咲里　谷部 文香　依田 直子
撮　　　影／山本 尚明（山猫写真館）
デザイン・DTP／ゆたり編集室
編　　　集／柴田 亮子
イラスト／坂本 志穂里
イラスト・地図／今野 絵里菜

栃木 カフェ時間
こだわりのお店案内

2022 年 9 月 30 日 第 1 版・第 1 刷発行
2024 年 7 月 25 日 第 1 版・第 4 刷発行

著　者　ゆたり編集室（ゆたりへんしゅうしつ）
発行者　株式会社メイツユニバーサルコンテンツ
　　　　代表者　大羽 孝志
　　　　〒102-0093 東京都千代田区平河町一丁目 1-8
印　刷　株式会社厚徳社

ご意見・ご感想はホームページから承っております。
ウェブサイト　https://www.mates-publishing.co.jp/

企画担当：堀明研斗